El estado de
PUEBLA

INTENDENCIA DE

PUEBLA

12345   10   15

E. de 17 L. y ½ Castella.ˢ

dt J.
dt Jeotalco
Ayotec dt
dt Guatla
de la
dt A.

dt Cayxo

dt Jr.
Guiquilitlan

dt Jcamap

Mist

dt xalap

Rio ℓ Vopes

EAS
Zacatlan delas Manzanas
Guaya-Cocotla
Teuzitlan
Atempa
Sn. Fco Xan
Los Llanos
Guamantla
Cholula
Sta Anna
Venta
Tlascala
Sn Martin
Napaluca
Singo
Puebla
Chalco
Tepeaca
Tecali
Ysucar
Izucar
Chietla
Coscatlan
Tepex
Zentla
Calcaqualco
Ysqua tlan
Sapotlan
Chiautla
Tequacan
Mitlan
Guirtlan
Olinala
Ysila
Xolalpa
Suchitla
Chinantla
Acatlan
Xaltepec
Yxitlan
Coapa
Quechulapec
Tonantla
Xalapa
Jututepec
Pachiutla
Ayutla
ARCHIVO GENERAL DE LA NACION
MEXICO

El estado

PUEB

de

LA

MEXICO

Contenido

EN EL ESFUERZO

EN LA JUSTICIA Y

UNIDOS EN EL TIEMPO

EN LA ESPERANZA

5
MAYO
1862

ESTADO LIBRE Y SOBERANO DE PUEBLA

PRESENTACIÓN

En el territorio poblano se encuentran climas y paisajes en casi todas las variantes; por los valles y la sierra, dispersa entre bosques o paisajes agrestes, bañada por ríos o próxima a ojos de agua, el hombre ha dejado su impronta desde hace por lo menos cinco mil años. En el valle de Tehuacán se inició el proceso de domesticación del maíz, base alimentaria de las civilizaciones mesoamericanas. Los vestigios arqueológicos más antiguos de la entidad se encuentran en Cholula, fundada por olmecas-xicalancas en el siglo V a.C. Más tarde, ya en nuestra era, en Yohualichan y Cantona, los totonacas dejarían ejemplos de su cultura. Subsisten en Puebla, con su idioma y costumbres, grupos nahuas, mixtecos, popolocas, otomíes, totonacas y mazatecos.

En los tres siglos de dominación española, Puebla de los Ángeles, urbe paradigmática, punto clave entre la capital del virreinato y Europa, fue la segunda ciudad de Nueva España; por su posición de privilegio, allí fueron creadas obras arquitectónicas magníficas. El proceso de mestizaje e integración entre los españoles –conquistadores de tierras y almas– y las poblaciones nativas se puede ejemplificar en edificaciones como la catedral de Puebla y la capilla del Rosario, los conventos de Chalco y Tepeaca o las iglesias de Santa María Tonantzintla y la de Huaquechula. Por otro lado, en el terreno de las humanidades, el aporte de los poblanos para la formación del espíritu mexicano ha sido generosa, tanto como las artesanías y la gastronomía, que cultivadas con talento e imaginación dieron también grandes resultados.

De su herencia palpable comparten su esplendor y belleza; de aquella otra que está en el espíritu y las costumbres, lo hacen a través de la cortesía y la cordialidad con que reciben a sus visitantes. Este libro es una mano poblana extendida a todo aquel que llega a conocer su entrañable terruño.

ÁNGELES Y SERAFINES, DE ESTA TIERRA PALADINES

Eduardo   Merlo

uebla es —mejor dicho, debió ser— una palabra efímera; en el castellano del siglo XVI significaba el acto de iniciar un asentamiento humano; "hacer una puebla" era fincar una nueva población en donde antes no había nada; de tal manera que cuando los franciscanos solicitaron a la Corona que su "puebla" se llamara formalmente Ciudad de los Ángeles, no imaginaron que la recalcitrancia de los habitantes llevara hasta el absurdo la prolongación del nombre provisional. Decretos fueron y vinieron intentando amilanar a los vecinos para que aceptaran y usaran el calificativo aprobado por la real voluntad; ni multas ni castigos lograron su cometido. Si quisiéramos ahondar en las causas de la terquedad, que no perseverancia, fracasaríamos rotundamente. A los habitantes les encantó el apelativo de puebla y a ellos el título de poblanos, que no pueblenses, como se les dice en España a los originarios de alguna de las múltiples villas que antellevan ese nombre.

Puebla de los Ángeles, porque los alados seres estaban ligados a la devoción de los frailes franciscanos. Venían estos misioneros de la provincia religiosa del Arcángel San Gabriel de Extremadura; el padre general o superior de toda la orden se llamaba entonces fray Francisco de los Ángeles, la advocación mariana patrona de ellos, era la Virgen de los Ángeles. Todo esto desembocaría naturalmente en la cédula con que el emperador don Carlos —"Primero de España y Quinto de Alemania por la gracia de Dios"— concede a la ciudad su escudo de armas, en el que se ve una ciudad de altas torres sostenida por alados seres, que en la orla tiene la transcripción del Salmo XC, versículo II: "Dios mandó a sus ángeles que te guardasen en todos tus caminos".

Desde entonces, los inconsútiles seres vuelan por todos los ámbitos de la ciudad y del estado. Se les ve posando en cada una de las pilastras de la reja catedralicia, o en la policromada cúpula de la capilla del Rosario; muchas veces en alguna hornacina en donde exhiben su exagerada desproporción, como en el barrio indígena de Analco, de la parroquia llamada del Santo Ángel Custodio. También se han conformado —claro que por obra y gracia del Creador—, a través de las manos ágiles y precisas de los "argamaseros-yeseros", en estatuillas incorporadas a los roleos muy exentos, a los recovecos de los cielos y bóvedas barrocas. Ángeles cien por ciento indígenas, como en Cholula, donde miran distraídos y campantes a los transeúntes de esa secular y sagrada ciudad. También están en Atlixco, abrazaditos como si fueran gemelos, en la fachada de la Tercera Orden, y realmente son "cuates", voz del náhuatl de donde se deriva la palabra "cuate" o gemelo con que solemos designar a nuestros mejores amigos. Muchos ángeles cuatitos en las portadas religiosas recuerdan la antiquísima versión de los Gemelos Divinos, el señor Lucero de la Mañana y el señor Lucero de la Tarde, ambos parte sustancial de Quetzalcóatl, la serpiente preciosa de todas las mitologías indígenas.

Puebla de los Ángeles. La devoción angélica se volcó en el culto y patrocinio del arcángel San Miguel, principalísimo patrono de los poblanos. Por ello se le mira reluciente sobre el magnífico pedestal de una fuente barroca en la Plaza de Armas y con su nombre bautizan los franciscanos al primero de sus conventos en estas tierras. Innumerables pueblos le rinden homenaje colocando su nombre antepuesto al antiguo. En la exuberancia de la Sierra Norte del estado, los indígenas nahuas bailan con gran algarabía y devoción una danza ritual llamada *Los Migueles;* en ella los personajes se revisten como el mismísimo Príncipe de la Milicia Celestial y penetran ritualmente, en el mundo sobrenatural del mito, para crear la ancestral lucha entre el bien y el mal; como suele suceder, el diablo sale mal parado del encuentro, pues gracias a ese esfuerzo angélico puede sobrevivir el mundo.

A Puebla se le llama también Angelópolis, y las leyendas llenan el ambiente de aleteos y música celestial, sobre todo cuando un bien intencionado discurrió que el obispo Garcés, primero con ese cargo en América continental, soñó que del cielo bajaban una buena cantidad de ángeles armados de estacas, cordeles y utensilios agrimensorios, y siguiendo quizá alguna consigna divina, en menos que se cuenta trazaron calles muy rectas, orientadas como Dios manda; de norte a sur y de oriente a poniente, muy anchas para su tiempo, con una desviación correcta y bien pensada respecto al norte magnético, para que los vientos fríos e insanos del volcán La Malinche no dañaran a los futuros habitantes. El terreno era realmente un prado digno de ser comparado al de los Campos Elíseos o al mismo Parnaso; como quien dice un pensil florido y regado por las caprichosas aguas de un río y algunos arroyos. Tal maravilla de maravillas despertó al prelado de tan singular escena; presto salió junto con sus criados a buscar ese lugar promisorio hasta encontrarlo. ¡Vaya sueño y vaya premonición!, digno todo de evocar al dramaturgo del Siglo de Oro y decir como él que "los sueños, sueños son". Aunque el ilustrísimo señor obispo de Tlaxcala no participó activamente en la realización de la Puebla, el mitificar o hacer legendaria una acción verdadera significa realzar su importancia, que indudablemente la tiene y es ejemplo y orgullo del urbanismo renacentista. Los ángeles volvieron al auxilio de los poblanos. Por algo se les haba mandado, cuando se hacían los esfuerzos tremendos para subir a la torre de la catedral, la campana mayor: *Doña María Palafox;* de la noche a la mañana, el pesadísimo instrumento estaba ya colgado sin que manos humanas intervinieran en el asunto. Qué manera tan hermosa de quitar el mérito a los esforzados indígenas cholultecas que construyeron la rampa y tiraron de las cuerdas para que actuaran los polipastos y se elevara hasta su sede tan enorme aparato. La preciosa campana agradece con su ronco tañido a todos los habitantes cuando, a las doce de cada día, anuncia —haciendo la voz del arcángel Gabriel— que María es madre de Dios, toque de ángelus se le dice y pocos reconocen ya su significado; no obstante, el instrumento cumple su cometido cotidiano. En otros tiempos solían contestar a tan angélico saludo las campanas de las otras iglesias, siempre en orden de aparición y jerarquía: San Francisco, Santo Domingo, San Agustín, La Compañía, La Merced, Santa Catalina, La Concepción, Santa Clara, Santa Mónica, Santa Teresa, La Soledad y muchas más, en un barullo, ahogado hoy por el tráfago de la vida contemporánea.

Pero Puebla es también un estado; enorme área de más de 30 mil km^2 que encierra casi todos los tipos de climas y ambientes. Quienes delimitaron por razones políticas el actual territorio dividieron a su arbitrio muchísimas regiones naturales, encerrando entre imaginarias líneas a pueblos que antes estuvieron reconocidos y hermanados con otros similares, pero ahora con deslindes muy ajenos a la realidad. El valle de Puebla es realmente una tierra de volcanes. Lo enseñorean majestuosos el Popocatépetl y el lztaccíhuatl; ellos rigen como siempre los tiempos de aguas y secas, de fríos y calores; no en balde cada año suben hasta sus cavernosos recovecos los designados especialistas, los quiamperos: "señores de la lluvia" que gritan a los cuatro vientos, que ofrecen sus regalos y bailan para contentar a tan gigantescos personajes: el volcán y la volcana. Se les menciona con sus nombres cariñosos y mágicos: Gregorio y Rosita, a ella inclusive se le ofrendan ajuares de ropa interior de colores; no blancos, porque traerían heladas perjudiciales para las siembras. En los sitios arqueológicos de las faldas del Popo se hallaron réplicas o maquetas de ambas eminencias, con su copal y demás parafernalia, lo que indica el respeto secular a esos montes. De igual carácter es el Matlalcuéyetl, "La señora de la falda de red", diosa del agua brotante y compañera de Tláloc, nombre primitivo que cambiaron los tlaxcaltecas por el de Malinche, para adular a su aliado Hernán Cortés. De esa montaña proceden los vientos helados que embaten los campos; ella misma celosa algunas veces, envía tormentas y heladas solamente evitadas por la oportuna intervención del Popo o del Izta. Aunque un tanto lejano, el Citlaltépetl o Pico de Orizaba, se mira claramente dentro de este ambiente mágico. Como hoy, desde tiempos remotos impusieron respeto, curiosidad y veneración, además de conformar un bellísimo paisaje.

La bondad del clima a los 2 200 metros sobre el nivel del mar, dan al valle de Puebla un ambiente propicio para la agricultura y los asentamientos humanos, de tal forma que la mayor concentración de pueblos se da aquí, muy cercanos unos con otros; si uno viaja por alguna de las numerosas carreteras que lo cruzan, se impresionará por la gran cantidad de campanarios, los cuales marcan esos sitios. Esto desde la etapa anterior a la Conquista, pues ya el propio conquistador apunta que destacan "muchos cúes y todo está muy torreado". Es en el valle, en el que los peregrinos de filiación olmecoide decidieron establecerse a orillas de una laguna para fundar la Ciudad Santa sobre el manantial sagrado. Siglos de veneración dieron lugar al monumento más grande que mano del hombre haya hecho en este continente: un basamento piramidal de 450 metros por lado (casi medio kilómetro) y 65 de altura, prácticamente un pequeño cerro artificial, como se aprecia en la actualidad, pero que en su momento lució un elegante revestimiento de piedra y un templo amplio para alojar la imagen del Chiconahui Quiahuitl (Nueve Lluvia), dador de la anhelada lluvia. Millones de adobes cuidadosamente colocados conformaron la última superposición estructural, de tal forma que en su construcción participaron miles de obreros por un largo tiempo, lo que indica un control político y religioso formidable. Los peregrinos y las ofrendas estaban a la orden del día, junto con el mercado en que se traficaban todo género de bienes, inclusive de regiones muy apartadas.

Hasta en los lugares más recónditos se hablaba de la ciudad del Tlachihualtépetl ("cerro hecho a mano"), y de la sacralidad, potencia y magnanimidad del dios patrono. Aun cuando invasores sureños destruyeron el gran teocali y obligaron a los habitantes a construir uno nuevo en otra parte, la antigua estructura conservó el respeto de quienes recordaban su grandeza, hasta que el olvido, la incuria y los elementos fueron minando sus taludes y escaleras, para dejarlo como si fuera un cerro natural, lleno de arbustos y hierba, de víboras y conejos. Cuando presurosos y urgidos los toltecas solicitaron asilo en la Ciudad Sagrada, trasladaron no sólo su refinada cultura, sino que dieron un nuevo y definitivo nombre a la ciudad: Chololan (Cholula). Hoy, Cholula es una población muy orgullosa de su pasado; la grandeza indígena no se puede disimular pues está presente en las portadas de numerosos edificios, en las 39 iglesias que se han vuelto 365 en la imaginación de los vecinos y en la credulidad de los visitantes. Su esplendor decorativo tiene como muestra exquisita el templo de Tonantzintla, recreación del paraíso con que Tláloc premiaba a sus elegidos.

En el valle, aunque en sus confines orientales, se desarrolló la importante población de Tepeyacac (Tepeaca), adonde los mexicas conquistadores trasladaron un antiguo tianguis o mercado, que llegó pronto, en 1466, a convertirse en el más surtido e importante del Altiplano, respetado y fomentado por los españoles, y que funcionó en todo su esplendor hasta 1989, cuando fue desmantelado por intereses no muy claros de las autoridades municipales.

Los caminos del valle siempre fueron muchos e intrincados; las viejísimas veredas ahondadas por los *cactlis* de los pochtecas, oztomecas y demás comerciantes incansables, con sus caravanas de tamemes, fueron suplidos por los caminos reales, cuyos primeros trazos y arreglos se debieron al esfuerzo y empresa del carretero Sebastián de Aparicio, quien logró una aceptable red de comunicación entre México y Veracruz, pasando por la Puebla de los Ángeles. Otras necesidades fueron abriendo brechas para dar paso a las caravanas que desde Acapulco traían las mercaderías de Oriente hasta la Angelópolis, evadiendo a la ciudad de México, siempre insaciable de tributos, alcabalas y pechos. La campana llamada *Flotista,* de la Catedral poblana, tañía alegre cuando anunciaba el arribo de la Nao de China o Galeón de Manila. Puebla se llenó de marfiles, porcelanas, sedas, maderas preciosas y otras preciosidades del Lejano Oriente; instituciones como el Museo Bello guardan celosamente muestras de esa procedencia.

Hacia el sur, los vecinos de la Puebla fundaron Atlixco, con su riqueza triguera en la etapa colonial, su arquitectura prodigiosa y más tarde con la industria textil, hoy sede del festival popular indígena más importante: el Atlixcáyotl, reunión de pueblos indígenas para cantar y bailar. Las tierras cálidas permitieron la aclimatación y beneficio de la caña de azúcar y dieron prosperidad a infinidad de haciendas, pero requirieron una gran cantidad de esclavos negros para tan duras faenas, explotados al grado de que no se encuentran rasgos étnicos significativos de su presencia en estas tierras. Colón, Rijo, Raboso y Atencingo fueron haciendas y lugares de gran producción durante los siglos XVII y XVIII, decayeron en el XIX y desaparecieron, con excepciones muy lánguidas, en el XX. Recuerdo de esa prosperidad son los macizos conventos dominicos, como el de Izúcar, con su claustro románico y sus dramáticas pinturas murales de mártires redentores. Sin igual frescura irradia el claustrito de Tepapayeca, con sus gárgolas cuasi medievales y su impecable diseño. El azúcar que tanta riqueza dio parece haberse plasmado, como si fuera turrón, en las yeserías de las fachadas religiosas de Tzicatlán y Jolalpan, esta última un portento de ornamentación vernácula barroca.

La aridez de la Mixteca, que en la etapa prehispánica surtió de plumas y piedras preciosas a los artistas, llamados también toltecas, vino a empobrecerse cuando el parámetro de valores se inclinó hacia la cultura occidental. La resistencia de la tierra a conceder sus frutos obligó a los habitantes a vivir del ganado menor y de la palma. Es sorprendente mirar los rebaños enormes de chivos y cabras que de todas partes se unen para seguir el camino hacia Tehuacán. Los animales son mantenidos a base de sal y prácticamente sin agua, para que sus carnes adquieran un sabor especial. Al llegar a su meta, a principios de octubre, se realiza un ritual confuso y ancestral, mezcla del antier, del ayer y del hoy históricos, para proceder a una crudelísima matanza que chorrea sangre por los amplios patios de la hacienda tehuacanera.

Como testigos de anterior grandeza están las ruinas de varias fortalezas mexicas, edificadas con el propósito de controlar el intenso tráfico comercial de aquellos tiempos, como las de Tepexi el Viejo, Cuthá o la Tortuga. Incluso grandiosas como el antiguo Tehuacán (Cerro de la Mesa), que floreció por muchas décadas.

Al centro del estado se encuentra "Mal País" —como le denominaron los hispanos—, zona agreste de salitres, pedregales y restos de lagunas insalubres y erupciones volcánicas. Tierra domeñada a base de trabajo intenso y secular, para sostener asentamientos como el de Cantona, en Tepeyahualco, con miles de unidades habitacionales y más de 20 juegos de pelota. Abandono total y aridez, hasta que la coherción de los encomenderos y luego hacendados la transformaron en granero triguero y prosperidad palpable. Las haciendas riquísimas aún sorprenden al visitante con su formidable arquitectura, trojes, acueductos y muchas todavía con una producción agrícola notable, como las de San Roque, la de Limón, la de Pizarro, o la de Virreyes. Justo al pie de esos planos se asentó el pueblo de San Juan de los Llanos, por concesión de los caciques de Iztacamaxtitlán; el templo parroquial es de una riqueza tal, que constituye una joya del barroco estípite en nuestro país.

La Sierra Norte es un paraíso; la exuberancia excede lo imaginable; ahí los árboles sagrados de amate aún surten de corteza a los habitantes de San Pablito, en Pahuatlán, para que sigan elaborando el papel mágico de sus devociones y arte. Los otomíes que ocupan esa zona son residuos de la extensión de su cultura en tiempos añejos. También está Zacatlán, tierra fría pero excelente para la producción frutícola, con su cabecera llena de tejados, balcones y comercios. Lo mismo Chignahuapan con su plaza de armas tan galana, quiosco policromado y absurdo foro ferial; tierra afamada por sus aguas termales y sitios de descanso. El mismo ambiente tiene Huauchinango, que de manos totonacas se volvió náhuatl, por conquista violenta de los toltecas y luego de una cultura mestiza muy llamativa, con la intervención de los frailes agustinos.

En Xicotepec está el santuario indígena de la Xochipila, sitio en que se manifiesta milagroso y sobreviviente el divino Techachalco o Xochipilli, reencarnado a fuerzas en san Juan Bautista. En Teziutlán encuentra uno el centro natural de confluencia de una buena parte de la Sierra Madre Oriental, muy ligado a Veracruz, pero inmerso en las serranías poblanas, en donde aún se respira el aire de otros tiempos, como en Chignautla, con sus picos llenos de magia y leyendas que reviven a los dioses antiguos para hacerlos deambular por cañadas y ríos impetuosos; o en Yaonáhuac ("lugar de Yáotl", el enemigo) que es patrocinado santamente por Santiago, al fin y al cabo otro guerrero valeroso. Tlatlauquitepec (tierra colorada) luce su plaza para el mercado tradicional al que acuden de todos los pueblos aledaños, de pasada llegan hasta el imponente edificio exconventual franciscano, con su sarzo de complicada armadura para soportar el tejado tradicional de esa zona. La armonía de líneas, colores e imaginación que combinó lo hispano con lo nahua dio por resultado los chales de Hueyapan, que rápidamente se incorporaron a la indumentaria tradicional. Complementa el mosaico estatal Zacapoaxtla, lugar que vive de la gloria de sus aledaños: los xochitecos y xochiapulcas, indígenas que acudieron con presteza y energía para ponerse a las órdenes del general en jefe del Ejército de Oriente, don Ignacio Zaragoza, y ser los primeros en cruzar sus machetes con los marrazos y bayonetas de los invasores franceses aquel inolvidable 5 de mayo de 1862.

Remonta uno la pendiente río arriba para descubrir absorto las maravillas de la barranca del Diablo en Xochitlán, al mismo tiempo que se escuchan alegres las notas de los sones que los huapangueros tocan para acompañar los taconeos y zapateados de esos tradicionales bailes huastecos. A poco se llega a Cuetzalan, famosa población de calles retorcidas y laberínticas. Flores y plantas se reproducen por todas partes, apenas si dejan ver los airosos aleros, los balcones alegres, las puertas abiertas de una arquitectura tradicional sin paralelo, aunque reconozcamos que bastante agredida por la modernidad. Protegiéndose de la pertinaz lluvia que es casi compañera constante del paisaje, suben y bajan los indígenas nahuas, limpísimos a pesar del lodo, como si hubiesen hecho pacto con Tláloc para que no manche sus tradicionales indumentarias. Las mujeres apenas si han cambiado sus atuendos en cuatro siglos. Para fortuna de todos, aún se pasan horas enteras en el telar de cintura para tramar y urdir los quechquémiles de gasa a los que llaman huipiles, para confeccionar los titixtles o enaguas graciosamente plegadas a la cintura y detenidas por la lentejueleada faja xochipayo. Resalta el turbante de cordones de lana verde y morada denominado maxtáhuatl, que les imprime un porte majestuoso al ser enredado junto con su propio cabello para sostenerlo y que remata con un tapalito de gran elegancia. Las solteras portan listones de colores, para llamar la atención de los jóvenes casaderos; las casadas se recatan mucho para evitar complicaciones molestas.

Muy cerca de Cuetzalan está Yohualichan, la "Casa de la Noche", con sus pirámides decoradas a base de nichos, como en el Tajín, el juego de pelota con dimensiones reglamentarias y la presencia de los actuales habitantes que casi nada difieren de los originales.

Nuestro estado es rico y variado como el carácter, la gastronomía y la idiosincrasia de sus habitantes, que a lo largo de la historia no han sido muy bien tratados por el resto de los mexicanos; prueba de ello son los versos "mono, perico y poblano..." etcétera, o el que dice: "Si la mar fuera de tinta/ y los cielos de papel/ y los peces escribanos,/ no escribirían en cien años/ la maldad de los poblanos". Realmente no es justa la apreciación; los vecinos de estas tierras siempre se han caracterizado por su hospitalidad y bonhomía; hablan por ellos sus obras, ya que si bella es la Puebla provinciana y majestuosa, la de los Ángeles, quienes la hicieron posible, y sus sucesores, deben haber plasmado mucho de sí en tan singulares trabajos. Puebla, la Puebla de los Ángeles, de los poetas, de los jesuitas, de los franciscanos, de los dominicos, de los agustinos, de los artistas, de los yeseros, de los alarifes, de los plateros, de los alfareros talaveranos, de los hacendados, de los industriales, de los campesinos, de los indígenas, de los españoles y de los mestizos es una tierra de trabajo y esfuerzos; no en balde un cronista del siglo XVIII la pondera con justicia: "Si la angélica ciudad/ del cielo mide tu suelo/ te constituye de cielo/ para mayor dignidad,/ no tuvieron igualdad/ tus principios soberanos/ que admiran por ciudadanos/ cuando el cielo se despuebla/ los ángeles en la Puebla/ y en la gloria cortesanos".

ENTRE VALLES Y MONTAÑAS

*El dios te creó,
cual flor te hizo nacer,
cual canto te pintó.*
Cantares mexicanos
(1532-1597)

urcado por cadenas montañosas entre las que se abren fecundos valles, Puebla es uno de los estados de la República de más caprichosa configuración. Es este rasgo, sin embargo, el que le otorga sus riquezas y el que forma o determina muchos de sus encantos. Tan espectacular es la orografía del territorio poblano, que formando una diadema rodean a su centro cuatro soberbios gigantes: el Popocatépetl, el Iztaccíhuatl, la Malinche y el Citlaltépetl, los más altos volcanes de cuantos se alzan en la extensión del suelo mexicano.

Si por las características del espacio que ocupa el estado tiene grandes atractivos, no es menos digno de ser conocido por el transcurrir de un tiempo que se remonta a otros siglos y milenios, e incluso a otras eras, que han visto a los animales petrificarse y a los hombres pasar con sus creencias y sus aspiraciones a cuestas, sembrando el territorio de pirámides para después tirarlas y erigir iglesias.

Las bellezas son naturales y humanas las herencias: sin querer ser exhaustivos, este libro trata de las que tiene Puebla. Proponemos ocho rutas que llevan a distintos lugares del estado: las dos primeras nos sitúan en el valle de Puebla, una en su orgullosa capital y otra en sus históricos alrededores. Los tres siguientes itinerarios se dirigen al sur, a los calurosos dominios de la sierra baja de la Mixteca. La sexta ruta se encamina por la llanura que acaba donde la esmeralda sierra norte comienza; y las dos últimas incursionan por ésta, una abriéndose rumbo al levante y la otra por el poniente. En la primera ruta, salvo indicación contraria, los tiempos de traslado se refieren a recorridos a pie, partiendo de la Catedral. A partir de este punto preciso se calcularon las distancias en kilómetros que se señalan en los siete restantes trayectos.

*L*A CIUDAD DE PUEBLA

1. Catedral
2. Biblioteca Palafoxiana
3. Museo Amparo
4. Plazuela de Los Sapos
5. Capilla del Rosario
6. Museo de Arte Popular Poblano
7. Casa Aguayo
8. Loreto y Guadalupe

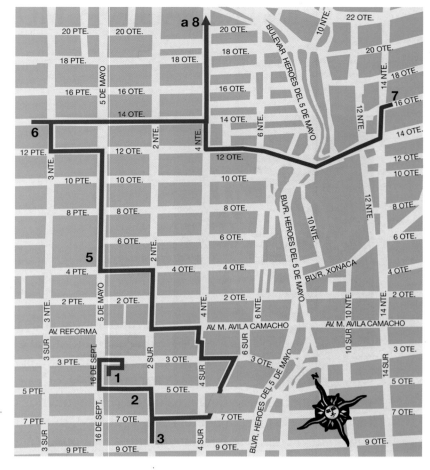

La leyenda gusta de atribuir a la ciudad de Puebla un origen divino, según el cual fueron ángeles los que, tirando unos cordeles, trazaron sus calles en el sitio indicado por Dios. Mas si el origen real de la urbe no fue divino, sí fue del todo inusitado, porque Puebla no se erigió sobre las ruinas de una población indígena, ni nació como ciudad militar, ni se creó como villa de encomenderos.

Fundada el 16 de abril de 1531, la Puebla de los Ángeles fue la única ciudad de la Nueva España concebida como una "república de agricultores españoles". Por ello es que se buscaron tierras libres para establecerla en un punto que resultaba ideal, porque estando a mitad del camino entre México y Veracruz haría de la nueva urbe un confiable lugar de reposo en el cansado y aventurado trayecto de la principal ruta de comercio de la Nueva España con la metrópoli.

Pronto fue rebasado el propósito original de una ciudad de peninsulares desposeídos, ya que para edificarla y para labrar las tierras concedidas hubo de darse, finalmente, repartimiento de indios a sus primeros moradores. Así, de modesta villa de rudos españoles pasó, en el mismo siglo XVI, a una ciudad de privilegios, cuya traza mostraba ya una clara división social, pues mientras los españoles residían en el centro de la urbe, los indígenas vivían aparte, en los barrios y arrabales de los alrededores.

La ventajosa ubicación de la ciudad, la posibilidad de contar con mano de obra indígena suplementaria (procedente de las vecinas Tlaxcala, Cholula, Huejotzingo y Calpan), así como la calidad de los recursos naturales de la región, dieron pie a una vigorosa economía que hizo importante a Puebla en todos sentidos.

Era natural que en una ciudad que llegó a considerarse como la segunda de la Nueva España, la cultura y las artes florecieran con gran esplendor. Al ser fundamentalmente impulsadas por la Iglesia, esas manifestaciones quedaron por lo general plasmadas en los templos, conventos y colegios religiosos que proliferaron por toda la ciudad. La Catedral, la capilla del Rosario y la Biblioteca Palafoxiana son parte de las obras más acabadas de la inteligencia y del genio que se desarrollaron en la Puebla de antaño. Por eso en este primer recorrido se propone visitar esos tres monumentos coloniales, a los cuales se aúna el sobrio ex convento de Santa Rosa, que alberga al Museo de Arte Popular Poblano. El Museo Amparo no podría, por su importancia, quedar fuera de esta ruta, ni el cerro de Loreto y Guadalupe, tan lleno de historia patria. Finalmente, un toque de ameno entretenimiento quisimos dar a nuestro paseo por la Angelópolis, al incluir una visita dominguera a la vieja plazuela de Los Sapos.

Puebla tiene muchos más sitios que ameritan ser conocidos y, por eso, en esta colección hay una guía específica para la ciudad y sus alrededores, los puntos de esta ruta no pretenden sino ofrecer al visitante ocho de los platillos del opíparo banquete que en esta Puebla le espera.

Junto a estas líneas, querubín del guardapolvo de talavera de la capilla del Rosario.

Catedral
Tiempo de recorrido: una hora

Entre cantos y oraciones, trazando los cinco círculos que marca el pontifical, el obispo bendijo las piedras, el agua, la sal y la ceniza. La muchedumbre que ese domingo 18 de abril de 1649 desbordaba el atrio de la Catedral vio salir a Juan de Palafox y Mendoza ataviado con la mitra, el báculo y los ornamentos pontificales. Lo vio dejar su sitial y caminar procesionalmente hasta la puerta mayor, signándola tres veces y penetrando por ella. Al unísono se abrieron las demás puertas de la iglesia y todos entraron. Enseguida, el ilustre prelado, de cuyo peculio habían salido 15 mil pesos para apresu-

**La Catedral, escaparate
mayor de los anhelos
materiales y espirituales
de los angelopolitanos.
PAGINAS ANTERIORES.
Palacio Municipal y
Plaza de Armas.**

rar la nueva casa, consagró el altar mayor y dijo misa de pontifical. La catedral estaba concluida por dentro mas no por fuera; faltaban las portadas, y de las torres sólo se había empezado la del norte. La inminente partida de Palafox precipitó la consagración, aunque era justo que él la efectuara, porque en el breve lapso de su episcopado (1640-1649) la obra progresó como no lo había hecho a lo largo de seis décadas y media.

La construcción de la nueva Catedral había comenzado en 1575 bajo el trazo del maestro mayor Francisco Becerra, al parecer inspirado en los planos de la Catedral metropolitana. Puebla ya tenía una catedral, levantada de 1536 a 1539, de tres naves y techo de maderamen, que además de haber demandado costosas reparaciones había dejado de llenar las aspiraciones de una ciudad que cobraba creciente importancia.

De la nueva Catedral, en 1664 se concluyó la puerta del Perdón o portada central de la fachada principal, a

cuyos lados hay estatuas de san Pedro y san Pablo, y por arriba de éstas las de san José y Santiago. La portada norte se terminó en 1690 y ostenta en bajorrelieve los bustos de los reyes de España, en cuyos gobiernos se edificó la iglesia (Carlos V, Felipe I, Felipe II y Felipe III). Esta portada también tiene las imágenes de los evangelistas y tres escudos que se repiten en la portada principal y en la portada sur: el papal (la tiara y dos llaves cruzadas), el de España (dos castillos y dos leones), y el del obispado de Puebla (un jarrón con azucenas).

La torre norte se terminó en 1678 y la del lado sur hasta 1768; sólo aquélla tiene campanas; destaca por su tamaño la llamada *María*, colocada en 1732. Se dice que estas torres, de 66 metros de altura, son las más elevadas de todas las iglesias de México. Hay que agregar que la Catedral tiene una nave central, dos procesionales y dos con capillas laterales. Toda la estructura, que ocupa un área de 50 x 98 metros, está cubierta por 39

bóvedas y dos cúpulas: una sobre el crucero y otra sobre el ábside. La nave central mide 25 metros de alto hasta las bóvedas y 42.5 hasta la linternilla de la cúpula del crucero.

Si por la severidad de sus torres y el aristocrático aspecto de sus fachadas el estilo de esta basílica es manierista, en su interior domina el neoclásico, debido a los cambios y agregados que se hicieron en el siglo XIX. No obstante, se conservó el barroco decorado de la capilla del Ochavo o del Espíritu Santo, ubicada en la esquina sureste del templo, así como una obra de arte realizada entre 1719 y 1722: la primo-rosa sillería mudéjar del coro, hecha de maderas finas con incrustaciones de marfil.

Otros dos tesoros que deben mencionarse son el altar de Los Reyes y el ciprés o baldaquino. El primero se halla en la capilla del ábside o cabecera del templo, y se conoce así por tener las estatuas de tres reyes y tres reinas que devinieron santos; en su centro destaca un gran lienzo de la Asunción, pintado por el aragonés Pedro García Ferrer. La cúpula de esta capilla luce una monumental alegoría de la Eucaristía, pintada al óleo por el célebre Cristóbal de Villalpando.

El gran ciprés está compuesto por ocho pares de columnas y un cimborrio. Fue comenzado en 1799 por el artista valenciano Manuel Tolsá y terminado en 1819 por el poblano José Manzo. Encima del tabernáculo que tiene en su centro hay una bellísima Inmaculada del mismo Tolsá. Abajo se halla la cripta de los obispos, que sólo se abre cada 2 de noviembre.

Dos joyas de la catedral poblana: *El triunfo de la Iglesia y la Eucaristía*, **pintura de Baltasar Echave Rioja y enfrente, el gran ciprés de Tolsá.**

Biblioteca Palafoxiana

Calle 5 Oriente núm. 5
Tiempo de recorrido: 15 minutos
Horario: martes a domingo, de
10:00 a 17:00

Una de las bibliotecas antiguas más valiosas de México es la que se encuentra en los altos del señorial edificio de la Casa de la Cultura de Puebla, a un costado de la Catedral.

La Biblioteca Palafoxiana debe su nombre a su ilustre fundador, el obispo Juan de Palafox y Mendoza, quien donó su vasta biblioteca particular para el servicio de dos colegios, motivado por la falta de libros de consulta en la Angelópolis.

En los años siguientes la Biblioteca fue enriquecida por las contribuciones de otros obispos, sobre todo la de Francisco Fabián y Fuero, quien logró en 1772 que las bibliotecas de los colegios jesuitas, en peligro de desintegrarse por la expulsión de la orden, pasaran a la Palafoxiana.

Después de donar también su propio y rico acervo, Francisco Fabián y Fuero hizo construir el magnífico local que hasta hoy ocupa la Biblioteca; además, mandó fabricar la bella estantería de tres niveles donde reposan los libros.

En 1836, la Palafoxiana tenía 12,536 volúmenes, la mayoría en latín. Hoy tiene 43 mil, entre ellos un incunable, escrito en papel de lino con caracteres góticos e ilustrado con más de dos mil grabados: la *Crónica de Nuremberg,* escrita por Hartman Schedel en 1493. Otros libros importantísimos son un *Atlas de Ortelius,* impreso en Amberes en 1548; una *Biblia políglota o Biblia Regia,* escrita entre 1569 y 1573, en griego, latín, hebreo y caldeo, y la *Gramática egipcia* de Jean François Champollion.

Esta "fuente de luz", como fue llamada por don Juan de Palafox, ha sido objeto de un movimiento de restauración y de estudio por parte de la Secretaría de Cultura en provecho de los investigadores. Así, se ha abierto la Sala de Curación y la del Tesoro Bibliográfico, además de las de microfil-mado, computación, un aula audiovisual y otra para un seminario de biblioteconomía. También tiene en funciones un Centro de Investigaciones Bibliográficas.

Un retablo de alabastro y madera dorada, con una pintura de la Virgen de Trapana, remata la estantería de cedro de la Biblioteca Palafoxiana.

Museo Amparo
Calle 2 Sur núm. 708
Tiempo de recorrido: tres horas
Horario: miércoles a lunes,
de 10:00 a 17:30

Desde 1991, la ciudad de Puebla tiene un museo que no sólo se halla entre los mejores de México, sino de Latinoamérica. Lo que antaño fuera El Hospitalito, un colegio de niñas y una casa particular, fueron restaurados y adaptados para albergar esta joya, a la que el poblano Manuel Espinosa Iglesias nombró Museo Amparo, en memoria de su esposa Amparo Rugarcía de Espinosa.

Una gran obra arquitectónica, una magnífica museografía, el más avanzado sistema de información y una de las más importantes colecciones de obras de arte que existen en México se conjugan en este museo. Las salas de exhibición lucen modernas, con amplias vitrinas, grandes monitores y pantallas que al tocarlas muestran las imágenes de las piezas expuestas, sobre las cuales se informa mediante audífonos, en español, inglés, francés, alemán y japonés. En contraste, por las ventanas se dejan ver los arcos, corredores y patios de la triple estructura, cuya estampa colonial refuerza la cúpula de la iglesia de El Hospitalito, asomada a uno de estos espacios.

El Museo Amparo está dividido en dos secciones. La mayor muestra el desarrollo de las culturas mesoamericanas, a través de artísticas obras de distintos pueblos: olmecas, zapotecas, totonacas, mayas, etcétera. Figuras de dioses, hombres y animales, estelas, máscaras, yugos, utensilios domésticos y muchas otras piezas se exhiben en ocho salas: las tres primeras enfocadas a destacar los materiales, técnicas, usos y estilos de esas obras; las cuatro siguientes dedicadas a mostrar su evolución espacio-temporal (el Preclásico en que se forman las al-deas, el Protoclásico de los centros ceremoniales, el Clásico de los Estados críticos y el Posclásico de los Estados militares); y la sala donde termina espléndidamente el recorrido, las piezas más valiosas de esta colección. En la otra sección se presenta una significativa muestra de obras de arte hispanoamericano: pinturas, esculturas, cerámica, orfebrería, tapices y muebles de la época colonial. Muchas de ellas son obras de arte religioso, sobre todo figuras e imágenes de santos y de vírgenes, crucifijos y relicarios.

En la sección mesoamericana hay además un auditorio, una biblioteca, una sala de exhibiciones temporales, comúnmente utilizada para presentar obras de arte contemporáneo y moderno, aunque el Amparo también tiene piezas de estos géneros. En la segunda sección está una boutique-librería, donde pueden adquirirse un disco compacto y libros sobre este museo, que cuenta también con un programa de actividades complementarias, formado por intercambios y préstamo de piezas, cursos, talleres, conferencias y eventos especiales.

El Museo Amparo, instalado en lo que fuera El Hospitalito y luego un colegio de niñas.

Enfrente: entre la colección del museo se cuenta una estela maya del periodo Clásico, una imagen de la Guadalupana enmarcada en un inigualable marco de plata y un óleo de Pedro Gualdi; en este fragmento del cuadro se observa al *Caballito* de Manuel Tolsá cuando estuvo en el patio de la Universidad de México.

Plazuela de Los Sapos
Calle 6 Sur, entre 5 y 7 Oriente

Esta plazuela, que figura en los planos citadinos desde el siglo XVIII, tiene una triple función mercantil. En días hábiles funge por las mañanas como un mercado de trabajo artesanal, pues ahí acuden tanto los oficiales de pico y pala, los pintores de brocha gorda y otros artesanos que buscan empleo, como aquellos que requieren de estos servicios. Por las noches se vuelve un mercado de mariachis, al que van los que gozan o sufren por un sí o un no, a contratar músicos de trompeta y guitarrón para llevar serenata a su amada. Finalmente los domingos, si no llueve, la plazuela se convierte en un animado tianguis de antiguallas, al estilo de los mercados de pulgas parisinos, los célebres *marchés aux puces*.

Desde hace varios años, el tianguis dominical de Los Sapos cobra vida entre las once de la mañana y las cinco de la tarde, más o menos. Sobre las lajas de la plazuela, los vendedores de viejo ponen sus puestos con mercancías cuyo mayor encanto es la rareza que les confiere la edad: libros, postales, billetes, monedas, muebles, lámparas y mil cosas más. Lo nuevo tiene cabida en la medida en que se trata generalmente de artesanías que, por su natural belleza, no se podrían excluir: así, en medio de la algarabía se venden objetos de talavera, cobre, barro, etcétera. Por la misma razón también hay sitio para plateros, pintores y carpinteros de "hechizos" (es decir, de muebles de madera que parecen antiguos pero no lo son).

Aprovechando el tianguis de la plazuela, los bazares que la circundan y los de las calles aledañas abren sus puertas, seduciendo a la clientela con sus arsenales de cosas viejas y nuevas, entre las que no faltan genuinas obras de arte. Para hacer más deleitosa la visita a Los Sapos, en la esquina norponiente de la plaza está la que fuera una pulquería de prosapia (La Bella Elena), hoy convertida en fuente de sodas con venta de antojitos mexicanos. En la contraesquina está La Pasita, una cantina familiar con más de medio siglo de vida, cuya nutrida clientela bebe de pie las almibaradas fórmulas que ahí se expenden, como la tradicional "pasita", la "sangre de diablo" y otras secretas preparaciones de la casa.

Arriba, los típicos camotes y otros manjares de la cocina poblana. Enfrente, la animación que, domingo a domingo, cunde en la añosa plazuela de Los Sapos.

Capilla del Rosario

Avenida 5 de Mayo, entre 4 y 6 Poniente
Tiempo de traslado: 5 minutos
Tiempo de recorrido: 30 minutos

Magnífica, prodigiosa, opulenta y maravillosa son los calificativos que más se han empleado para hablar de la capilla de la Virgen del Rosario —ubicada en el templo de Santo Domingo—, cuya construcción y ornamentación demandó muchos recursos, trabajo y sobre todo tiempo: 40 años, que empezaron a correr en 1650 y terminaron en 1690, al ser consagrada, el 16 de abril. Lo que hace a esta obra extraordinaria por su signi-

Arriba, la imagen de la Virgen del Rosario en el nicho del ciprés que se alza bajo su radiante cúpula. En la página opuesta, un acercamiento a su vibrante y opulenta decoración. PAGINAS ANTERIORES. Antiguo portalillo y esquina norponiente del Teatro Principal e iglesia de San Francisco.

ficado, imágenes y formas, y extravagante por su profuso dorado, son las yeserías que la cubren casi toda. A excepción del guardapolvo revestido de talavera y de los espacios destinados a los lienzos del pintor José Rodríguez Carnero, todo lo demás se halla cuajado de estucos modelados y colocados conforme al esquema trazado por el dominico poblano fray Agustín Hernández.

Aparente maremágnum de figuras y símbolos, la capilla contiene un mensaje que, como bien dijera don Francisco de la Maza, solamente con cultura teológica es posible descifrarlo. El lo hizo, por fortuna, mostrando que la decoración sigue un plan bien pensado, que empieza en las bóvedas de la nave, donde están las tres virtudes teologales: la Fe (una doncella con cruz y cáliz), la Esperanza (una doncella con un áncora) y la Caridad (una madre con dos niños). Son las virtudes que llevan a la *gratia divina*: la Virgen coronada, con palma y laurel en las manos, ubicada en el gajo de la media naranja que hace eje con las bóvedas.

Simbolizados por seres andróginos, en los demás gajos de la cúpula están los Siete Dones: el Entendimiento, la Fortaleza, la Piedad, la Ciencia, el Consejo, la Sabiduría y el Temor de Dios. Y prosigue De la Maza: "Después de creer, esperar, amar, estar en gracia y haber podido obtener los dones esenciales, llegamos a la suprema sabiduría representada por el Espíritu Santo": la paloma blanca, en el centro de la cúpula.

Los cuatro evangelistas, los primeros en hablar de la Virgen, figuran en los cruceros. En el coro aparece una cándida orquesta de niños ángeles, que bajo la vigilancia de Dios Padre tocan violines, mandolinas, vihuelas, flautas y cornetas.

Aunque otra cosa podría pensarse, los elementos secundarios también tienen su función: los pelícanos simbolizan a Cristo; los ángeles, la alabanza; los pájaros, la música, y las flores, la ofrenda. Incluso se hallan en la nave dos sirenas, en alusión sutil a los peligros que en el mar enfrentan los navegantes, cuya protectora es precisamente la Virgen del Rosario.

Museo de Arte Popular Poblano

Calle 14 Poniente núm. 305
Tiempo de traslado: 10 minutos
Tiempo de recorrido: una hora
Horario: martes a domingo, de 10:00 a
15:00

Fundado en 1973 y remodelado en 1992, este museo se ubica en la edificación ocupada por el convento de Santa Rosa y que comenzara como beaterio de dominicas, por el año de 1698. Después de llegar de Roma las bulas que autorizaron la fundación del convento, el obispo Pantaleón Álvarez Abreu lo consagró en 1745. Agradecidas con él por sus continuos socorros, las monjas adoptaron la generosa costumbre de enviarle los mejores platillos de su invención.

La fama que cobraron estas monjas como excelentes cocineras hizo que a diario se apiñaran en la portería del convento los criados de las casas ricas de Puebla, para llevar a sus amos las delicias que se preparaban en una hermosa cocina de talavera.

Según la leyenda, ahí fue donde sor Andrea de la Asunción, movida por un soplo divino, inventó el mole poblano de guajolote, para halagar a un virrey que estaba de visita.

En 1869 se suprimió el convento por las Leyes de Reforma; a él fueron trasladados los enfermos mentales del hospital de San Roque, que estuvieron ahí hasta 1926, cuando en la famosa cocina del convento se abrió un museo de cerámica, antecesor del actual Museo de Arte Popular Poblano.

Un mundo de artesanías se presenta en las siete salas de que consta el museo, correspondientes a las siete regiones económicas en que se divide el estado: Huauchinango, Teziutlán, Ciudad Serdán, Cholula, Puebla, Izúcar de Matamoros y Tehuacán. Para cada región, grandes tableros señalan los municipios comprendidos, las ramas artesanales desarrolladas y los grupos étnicos existentes. La gama de productos que se presentan en vitrinas, mesas y nichos cavados en los gruesos muros del edificio, pertenece a muchos géneros: carpintería, cerámica, escultura, jarciería, metalistería, pirotecnia, textiles y vidriería, por citar algunas. Junto a los principales trajes regionales, ahí se exhiben, entre otras artesanías, las miniaturas de Amozoc, los bordados de Nauzontla, las tallas en cuerno de toro de Huauchinango, el papel picado de Huixcolotla y los sombreros de Petlalcingo.

El museo tiene auditorio, biblioteca y una tienda donde los ojos se van por tantas y tan bellas artesanías que ahí se venden. También, para comodidad de sus visitantes, el museo ofrece la ventaja de contar con estacionamiento propio.

Al encanto y la variedad de artesanías en el Museo de Arte Popular Poblano se agrega la célebre cocina del ex convento de Santa Rosa, la más bella de país, según aseveraba don Manuel Toussaint.

Casa Aguayo
(Actual Casa de Gobierno)
14 Norte y 16 Oriente
Tiempo de visita: 15 minutos

La actual Casa de Gobierno es uno de los vestigios de la arquitectura popular civil característica de los antiguos barrios poblanos. Hasta hoy no se ha podido precisar la fecha exacta de su edificación, aunque sus características arquitectónicas, constructivas y de decoración revelan las postrimerías del siglo XVI. Esta suposición se refuerza por la ubicación del inmueble en lo que entonces se llamó Barrio del Alto, justo en el sitio de ofrendas a Tláloc, elegido por los tlaxcaltecas para su asentamiento.

La Casa Aguayo –que prácticamente ocupa toda la manzana, salvo la capilla de la Verónica y sus anexos– se ubicó en la salida a Veracruz por el Camino Real, frente a lo que fue la plaza del tianguis y del portal de la Casa de Justicia (Tecpan) y donde estuvo el

**La Casa de Aguayo,
nueva Casa de Gobierno, es
un edificio representativo de la
arquitectura civil colonial
de Puebla.**

predio en el que se construiría, en el siglo XVII, el templo de la Santa Cruz. Las crónicas relatan que este último se edificó junto al sitio donde Motolinía ofició la primera misa.

La casa ha tenido usos muy dispares: antes de ser propiedad de la familia Aguayo, fue residencia de importantes poblanos y en el siglo XIX fue destinada a cuartel militar y temazcal, cuyas tinas de talavera y las fuentes de los baños de placer se surtían con el agua proveniente de los entonces abundantes manantiales de Loreto.

Una vez cuidadosamente restaurada por especialistas, de acuerdo a las instrucciones del gobernador Melquiades Morales Flores, y con el apoyo de la Fundación Mary Street Jenkins, la Casa de Aguayo –como prefería nombrarla Hugo Leicht, el historiador alemán radicado en Puebla–, el inmueble funciona como Casa de Gobierno desde el año 2001, integrada armoniosamente a uno de los barrios más antiguos de la ciudad.

Loreto y Guadalupe

Tiempo de traslado: 15 minutos, en automóvil
Tiempo de recorrido: tres horas
Horario de museos: martes a domingo, de 10:00 a 16:30
Horario del Planetario: martes a domingo, de 10:00 a 20:00

A dos kilómetros al nororiente del centro de la ciudad, se ubica una colina que en el siglo XIX empezó a conocerse como cerro de Loreto y Guadalupe, por los fortines que con ese nombre se edificaron en torno a los dos santuarios. El Fuerte de Loreto se construyó entre 1815 y 1817 para defender a la ciudad de los ataques suscitados por la guerra de Independencia. El de Guadalupe se levantó en 1862, al desatarse la lucha contra los invasores franceses, que fueron derrotados en el enfrentamiento que ahí se produjo el 5 de mayo.

Por eso, al cumplirse cien años de esta gesta, se inauguró el Centro Cívi-co 5 de Mayo, que hoy en día reúne varios sitios de interés: el Museo de la No Intervención, instalado en el Fuerte de Loreto; los museos de Antropología e Historia y de Historia Natural, ubicados en modernos edificios construidos para ellos; y el Planetario de Puebla, que se distingue por su cubierta piramidal. Siguen ahí el ex fortín y el arruinado templo de Guadalupe, acompañados por el auditorio de La Reforma, la plaza de toros El Relicario y el llamado recinto ferial, donde cada año se monta la Feria de Puebla, de fines de abril a mediados de mayo.

A partir de pinturas, documentos y diversos objetos, en el Museo de la No Intervención se muestra la lucha de los soldados mexicanos contra los ejércitos de Napoleón III, particularmente la batalla del 5 de mayo de 1862. El Museo de Antropología e Historia ofrece una panorámica de la historia del valle poblano desde los tiempos más remotos hasta los años de la Revolución. En el Museo de Historia Natural se sigue la evolución del mundo animal, apreciable mediante una colección de 500 animales disecados y otra de 2,500 mariposas; también hay fósiles hallados en la zona de Valsequillo, y reproducciones de grandes animales antediluvianos.

Por último, el Planetario muestra lo que es la bóveda celeste. En su primera parte se simula el universo y para ello se utiliza un equipo de cómputo Spits, 27 proyectores de efectos especiales y una esfera de estrellas con 14 mil lentes. En la segunda se exhibe un film de 70 mm con ayuda de un proyector Omnimax, dotado de un gran angular capaz de proyectar la cinta sobre un domo parabólico que abarca 165 grados verticales y 180 horizontales.

El bastión de Loreto y su foso circundante. A la derecha, la estatua ecuestre del general Ignacio Zaragoza.

45

ℒAS JOYAS CERCANAS

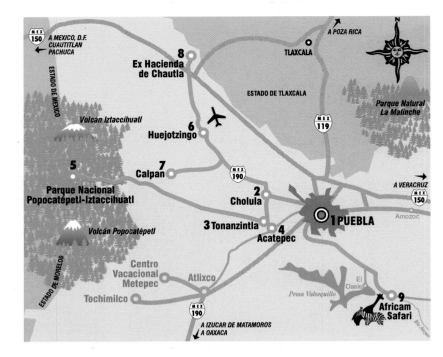

1. Puebla
2. Cholula
3. Tonantzintla
4. Acatepec
5. Parque Nacional
   Popocatépetl-Iztaccíhuatl
6. Huejotzingo
7. Calpan
8. Ex Hacienda de Chautla
9. Africam Safari

Aexcepción del Parque Nacional Popocatépetl-Iztaccíhuatl, los puntos que integran esta ruta se localizan en el área del valle de Puebla que se extiende alrededor de la capital del estado. Domina en este recorrido la arquitectura religiosa colonial, representada por conventos del siglo XVI. Del de Cholula lo más relevante es su Capilla Real de indios, burbujeante de cúpulas. En Calpan, en cambio, por la riqueza y simbolismo de su decorado son las capillas posas la obra más valiosa; en Huejotzingo destaca el monasterio en su conjunto.

En contraste con la severidad de esos conventos se halla la arquitectura religiosa colonial de Tonantzintla y Acatepec, con sendos templos cuya decoración, de estilo ultrabarroco y manufactura popular, impacta y seduce a quien la mira.

Pero Cholula y Huejotzingo no solamente son notables por sus monumentos coloniales. En aquélla es aún más trascendente su extraordinaria pirámide, formada a lo largo de varios siglos. Y en Huejotzingo es tan famoso como su convento su carnaval, el más importante de los que se realizan en Puebla.

Por estos rumbos nuestro recorrido llega hasta una ex hacienda, que no lleva al México campirano sino a un rincón europeo, por su castillo de sueño, en medio de un lago. En el extremo opuesto se halla un afamado zoológico, muestra de las riquezas que el mundo animal posee en distintos confines de Africa y América.

Cholula

Por sus casi 25 siglos de ocupación continua, Cholula es la ciudad habitada más antigua de México. En su larga etapa prehispánica desempeñó un papel prominente como centro comercial, y más todavía como centro religioso y ceremonial. En su etapa hispánica, que se iniciara en 1519 con un saqueo y una matanza ordenada por Hernán Cortés, mantuvo de un nuevo modo su carácter de ciudad sagrada, por el ahínco con que los españoles erigieron en el lugar de los teocalis 39 iglesias, tan sólo en el perímetro del casco urbano y sus diez barrios. Y aún en su etapa moderna su eje vital es lo sagrado-ritual, como muestra su apretado calendario de fiestas religiosas tradicionales.

En Cholula, la principal herencia arquitectónica colonial se ubica alrededor de su plaza. Al oriente se levanta el templo franciscano de San Gabriel, en el sitio que ocupara el gran teocali de Quetzalcóatl. Fundado en 1529 pero construido de 1549 a 1552, este templo es de una nave, con bóvedas nervadas y ventanas de medio punto.

Junto a esta iglesia, en el mismo siglo XVI se edificó una capilla de indios o Capilla Real: templo de planta cuadrada con aire de mezquita arábiga. El techo que causa admiración no es empero original, pues data de mediados del siglo XVII. Lo forman 63 bóvedas, que cubren las siete naves del templo y las dos series de capillas laterales: 49 de estas bóvedas son vaídas o de pañuelo, 14 de medio cañón y cinco son cúpulas.

Al otro lado del zócalo hay más edificios coloniales. Uno es la parroquia de San Pedro, erigida en 1640, y otro lo forman las Casas Reales, del siglo XVII, precedidas de un largo portal de 46 arcos de medio punto, sobre una columnata dórica.

Enfrente, mascarón de un arco de Santa María Tonantzintla. PAGINAS SIGUIENTES. Templo de San Gabriel e iglesia de Los Remedios, en Cholula, captada al frente del majestuoso Popocatépetl.

La gran pirámide

Tiempo de recorrido: 1 hora
Horario: martes a domingo, de 10:00 a 16:45

Aunque las iglesias de Cholula llaman mucho la atención, el influjo de su pirámide es a todas luces mayor. No falta en ello razón, pues se trata de uno de los monumentos más grandes de la humanidad, formado por varias pirámides que se fueron superponiendo en seis siglos hasta convertirlo, hacia el siglo IV, en un basamento de 450 metros por lado con una altura de 65: dos veces mayor que la pirámide del Sol, en Teotihuacan, y cuatro veces más grande en volumen que la de Keops, en Egipto.

Dedicada a Chiconahui Quiáhuitl, un dios de la lluvia, la pirámide ya estaba oculta cuando Cortés llegó a Cholula. Era usual que cada nueva generación, tal vez marcada por el inicio de un ciclo solar, hiciera una nueva pirámide sobre la anterior, cubriéndose ésta con adobe. De tal costumbre vino a la ciudad —fundada en el siglo V a.C. por olmecas-xicalancas— su nombre primitivo de Tlachi-hualtépetl ("cerro hecho a mano"). Huyendo de la barbarie chichimeca, hasta ahí llegaron en el siglo XII los toltecas, y hallaron no sólo un refugio sino un sitio de reflorecimiento, cuya hegemonía conquistaron pacíficamente, a fines del siglo XIII. Chollan, o "lugar de los que huyeron", fue el nuevo vocablo con que se designó a la urbe, en la que muy rápido prendió el culto a Quetzalcóatl, cuyo templo se erigió muy cerca del cerro bajo el cual yacía la pirámide.

Aunque los españoles se percataron de lo que había en las entrañas de aquel montículo, la empresa de acabar con una obra de siglos se reveló superior a sus fuerzas. Se contentaron así con edificar encima una iglesia, que en 1594 ya estaba dedicada a la Virgen de los Remedios. Reconstruida entre 1864 y 1874, tras un terremoto, es la iglesia que hoy vemos desde lejos, blanca y airosa, con sus altas torres y sus cúpulas esmaltadas.

En 1931, la pirámide comenzó a explorarse por el arquitecto Ignacio Marquina; después de 25 años se perforaron ocho kilómetros de túneles y se descubrieron siete pirámides superpuestas. En la segunda se halló el Mural de las Mariposas. En un edificio anexo se encontró el Mural de los Bebedores (56 x 2 metros), con más de cien figuras antropomorfas que escenifican una ceremonia en honor de Octli, el dios del pulque. En el museo de sitio se pueden ver las réplicas de ambos murales y una maqueta del conjunto piramidal, incluyendo el patio donde hay tres altares de mármol, uno de ellos horizontal, de diez toneladas y una sola pieza, con la serpiente emplumada en su orilla, señal de ser obra tolteca y de haberse dedicado a Quetzalcóatl.

La venerable Cholula, a cuyo mercado se recomienda ir en miércoles o en domingo, cuando los marchantes llegan a ofrecer sus semillas y legumbres frescas, se halla a 13 kilómetros de la capital poblana, por la vía recta o "ruta Quetzalcóatl".

En esta página, la parroquia de San Pedro desde los portales de Cholula. PAGINA OPUESTA. Basamentos de la gran pirámide de Cholula y templo de la Virgen de Los Remedios, en sus alturas.

Tonantzintla

A esta población se puede llegar desde Cholula, o bien directamente desde Puebla, en cuyo caso el recorrido es de 15 kilómetros, por la carretera federal a Atlixco.

Santa María Tonantzintla es el arcón que guarda una de las joyas más ricas del barroco mexicano, en su grado exuberante: la iglesia de la Inmaculada Concepción de la Virgen María. Lo que en ella subyuga de golpe son las policromadas yeserías de su ornamentación interior. Es tal la profusión de figuras y formas que se diría que hay un creciente *horror vacui*: un miedo al vacío que llevó a colmar progresivamente los espacios de esta iglesia, hasta llegar a los cruceros, el ábside y la cúpula, donde el recargamiento de los estucos es máximo.

Antes de la llegada de los españoles, cerca del poblado se veneraba a Tonantzin ("nuestra madrecita"), deidad protectora ligada al maíz. Luego de la Conquista, el culto a esa diosa halló una continuidad lógica en el culto a la Virgen María, en tanto madre protectora. Aunque el celo español hizo construir en honor a esta virgen el templo que nos ocupa, los indígenas que modelaron las yeserías no se olvidaron por completo de Tonantzin ni de su propio universo, aludiendo a ellos en una iconografía mexicanista, compuesta por ángeles morenos, niños con penachos de plumas, frutos tropicales (mango, chile, coco, plátano, etcétera) y, sobre todo, vigorosas mazorcas de maíz.

Esa iconografía no es desde luego la que domina, sino aquella que recrea el mundo cristiano y que en concreto relata los episodios de la Anunciación, la Concepción, la Asunción y la Coronación de la Virgen. Teniendo en su centro el símbolo del Espíritu Santo, la cúpula representa el cielo-paraíso, con las nueve órdenes angélicas de la teoría de santo Tomás y un desbordamiento de flores y frutos. Ahí están también los teólogos de la mariología (san Agustín, san Ambrosio, san Jerónimo y san Gregorio) y los evangelistas propagando el dogma mariano, san Mateo, san Marcos, san Lucas y san Juan).

La edificación y decoración de esta iglesia se realizó del último cuarto del siglo XVII a finales del XVIII. En el siglo XX se colocó la imagen de la Virgen en un ciprés de ornadas columnas salomónicas, rematado por un cupulín donde se alza la figura de san Miguel, en su papel de capitán de los ejércitos celestiales. Es en este barroquísimo ciprés donde se aloja la imagen de la Virgen, coronada.

Acatepec

S ituada a 13 kilómetros de la Angelópolis por la carretera federal a Atlixco, y a 20 por la recta a Cholula, esta pequeña población posee también una soberbia iglesia de estilo barroco mexicano, cuyo decorado se realizó entre 1650 y 1750, cuando la talavera y el barroco poblanos vivieron su mayor apogeo.

La fachada de este templo se halla labrada y policromada de tal forma, que semeja un retablo. Consta de dos cuerpos y un remate orlado de volutas, con flameros que se repiten en la espadaña y en la torre, dando la impresión de fina repostería. El estilo barroco se define en las columnas salomónicas de la torre, mientras el churrigueresco se perfila en las estípites del segundo cuerpo y el remate. Pero lo más admirable de esta obra es su vestido multicolor de mosaicos de talavera, fabricados expresamente para ella. Razón de sobra tuvo así don Manuel Toussaint, cuando dijo que "la magnificencia de la fachada es tal, que parece un templo de porcelana digno de ser guardado bajo un capelo de cristal".

El interior no es menos asombroso: su decoración fascina tanto por la densidad y brillantez de las formas, como por la expresión de las imágenes. A diferencia del templo de Tonantzintla, en el de Acatepec no se insinúa el mundo indígena. Partiendo de la bóveda del coro, las yeserías refieren la Encarnación y el Alumbramiento del Hijo de Dios, mediante las figuras de la Santísima Trinidad y de un sol resplandeciente, y como consecuencia la formación de la Sagrada Familia, que aparece en la bóveda del testero. Los evangelistas que narran dichos pasajes figuran en los arcos laterales de la bóveda solar, con los atributos que los caracterizan: san Marcos con un león, san Mateo con un ángel, san Lucas con un toro y san Juan con un águila. La imagen de san Francisco, a quien la iglesia está dedicada, se encuentra dentro de una vitrina, entre las columnas helicoidales del retablo central.

53

En la iglesia de San Francisco Acatepec el espectador se conmueve ante dos artes:
el de la talavera que embellece opulentamente su fachada y el de la iconografía que baña el interior,
con una intención didáctico-teológica que rebasa, con creces,
el mero propósito decorativo.

Parque Nacional Popocatépetl-Iztaccíhuatl

La creación oficial de este parque, asentado en las faldas y conos de la Sierra Nevada, data de 1935, año en que se emitió un decreto que le asignó 25 679 hectáreas, correspondientes a cuatro municipios del estado de México, uno de Morelos y cinco de Puebla, siendo estos últimos los de Tlahuapan, El Verde, Domingo Arenas, San Nicolás de los Ranchos y Tochimilco. Para quien gusta del aire puro de la montaña, sin importar el

Si las páginas anteriores ofrecen una vista inefable de la nevada cresta del Iztaccíhuatl, aquí se aprecia la figura altiva del Popocatépetl.

frío y si es invierno alguna helada, siempre será placentero visitar el Popo-Izta, uno de los parques nacionales más grandes de la República Mexicana. El área que ocupa, con páramos y bosques de pinos, tiene una fauna silvestre compuesta por venados de cola blanca, gallinas de monte, halcones y cuervos.

Ofrece la posibilidad de practicar el excursionismo y el alpinismo, escalando las elevadas cumbres del Popocatépetl o "volcán que humea" (5 452 metros), y del Iztaccíhuatl o "mujer blanca" (5 280 metros).

Desde Puebla se accede a este parque por la recta a Cholula y el camino a Paso de Cortés, tras recorrer 52 kilómetros. También se llega desde la ciudad de México, pasando por Chalco y Amecameca. Dos kilómetros después de esta última población comienza la desviación a Tlamacas, un punto del estado de México ubicado a cuatro kilómetros de Paso de Cortés, donde hay un albergue alpino con dormitorios dotados de 98 literas.

Huejotzingo

Fundado por olmecas-xicalancas y habitado por toltecas-chichimecas, el señorío de Huexocingo tuvo su época dorada en los siglos XIII y XIV. Aunque en el siglo XV los aztecas lo sometieron, cuando llegaron los españoles, a fines de 1519, el señorío se hallaba sustraído a aquéllos. Esto explica por qué los guerreros huejotzincas se unieron a Cortés, para acabar con el poderío de México-Tenochtitlan.

En 1525, los franciscanos edificaron un convento en Huejotzingo, cuando la ciudad se hallaba todavía en un lugar aislado por hondas barrancas, hoy conocido como San Juan Loma. En 1529, Huejotzingo se trasladó al sitio que hoy ocupa y aquel primer convento fue demolido para hacer otro con sus piedras, que tampoco sobrevivió. Así, el actual convento de San Miguel es el tercero construido por los franciscanos, entre 1544 y 1570, bajo la sapiente dirección de fray Juan de Alameda.

El exterior del templo presenta una mezcla de plateresco y mudéjar. El primer estilo se expresa en el contraste de amplios espacios lisos con reducidos espacios ornamentados, como sucede en la fachada lateral, cuya puerta rodea una prolija decoración de hojas y cardos. El segundo se manifiesta, sobre todo, en la forma conopial del arco de la puerta mayor. Adentro es admirable el retablo central, uno de los pocos del siglo XVI que se conservan en México, obra del artista español Simón Pereyns. También destaca el pétreo decorado de la puerta de la sacristía, que forma una malla cuajada de flores.

El ex convento acoge el modesto Museo de la Evangelización, a cargo del Instituto Nacional de Antropología e Historia. En la sala de profundis hay una célebre pintura al fresco, con las figuras de los primeros doce franciscanos que llegaron a la Nueva España (en 1524), encabezados por fray Martín de Valencia.

En el atrio de la iglesia conviene detenerse a ver las capillas posas, construidas hacia 1550. Reciben tal nombre por servir para posar al Santísimo en las procesiones, aunque también se utilizaban como capillas de indios. En su fino decorado son notorios dos emblemas franciscanos: el escudo de las cinco llagas del Señor y el cordón rematado por flecos, símbolo del lazo con que se ató a Cristo para ser azotado y de los votos de la orden: pobreza, obediencia y castidad.

En los días de carnaval, Huejotzingo se llena de visitantes. La gran fiesta comienza el sábado anterior al miércoles de ceniza, con la llegada de músicos, comparsas, coheteros y vendedores provenientes de los barrios y pueblos aledaños. Culmina el martes con la representación de tres hechos históricos: la batalla de Puebla del 5 de mayo de 1862, escenificada por más de cien lugareños que forman, con sus rosadas máscaras, sus atronadores mosquetones y vistosos atuendos, los batallones de soldados mexicanos y franceses que se batieron (serranos, lanceros, zuavos, turcos, etcétera). Otra puesta en escena se basa en la leyenda de Agustín Lorenzo —Robin Hood del siglo XVIII que robaba a los ricos para ayudar a los pobres—, quien rapta a la hija del corregidor de Huejotzingo para casarse con ella. Por fin, la tercera historia que se recrea es la boda del "principal" de Huejotzingo, un joven llamado Calixto, quien fuera el primer indígena en casarse en la Nueva España conforme al rito católico.

Como dijera Frances Toor, el de Huejotzingo es "el más artificioso y brillante de los carnavales de pueblo"; es un colorido y ruidoso espectáculo con olor a pólvora, donde se funden las fronteras del sueño y la realidad. Al presenciarlo se puede aprovechar la ocasión para conocer las iglesias del lugar y adquirir ciertos productos, como sidras y conservas de frutas y verduras. También se puede probar la cocina local, degustando un caldo de habas zapateras, un pipián verde o rojo, o un exquisito guiso dulce-salado, llamado manchamantel.

Huejotzingo se encuentra a 29 kilómetros de la ciudad de Puebla, por la recta a Cholula y la carretera federal México-Puebla. Cinco kilómetros antes hay una desviación que lleva al aeropuerto internacional Hermanos Serdán, enlazado con la autopista México-Puebla.

Arriba, la fachada del templo de San Miguel y una de sus capillas posas. Enfrente, su retablo central, con los esmerados óleos de Simón Pereyns, pintados en 1580. PÁGINA ANTERIOR. Puerta porciúncula en el lado norte de la misma iglesia.

Frente a estas imágenes bien cabe traer a colación un comentario de Raquel Tibol:
"Sin la estridencia de las bandas de música ni el tronar de cohetes y fuegos artificiales, los personajes del carnaval de Huejotzingo salen a la quieta escena de las páginas de un libro".

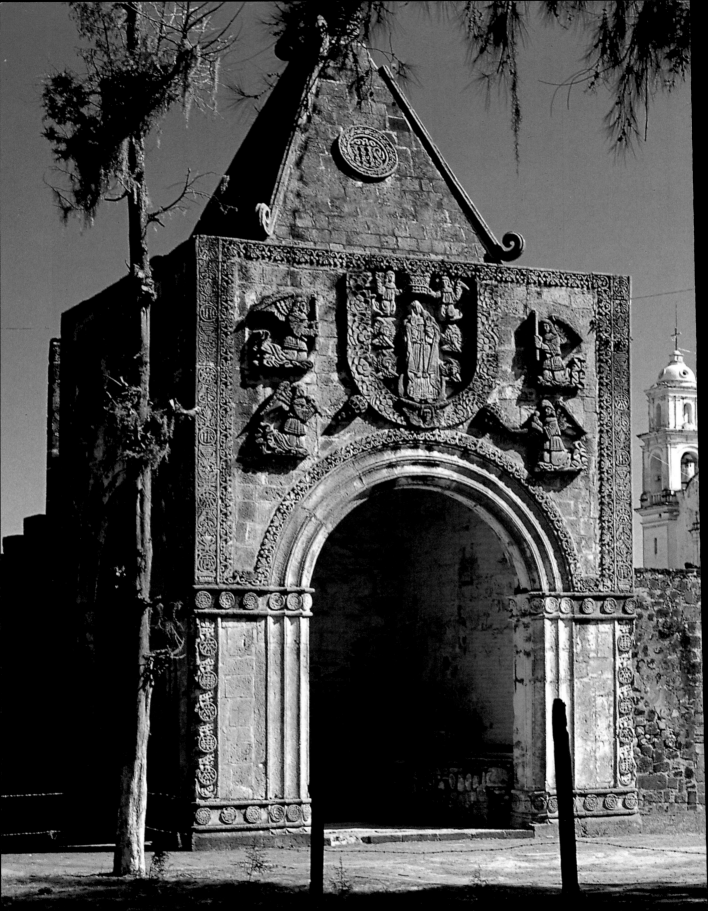

Calpan

Antaño estrechamente relacionada con Huejotzingo, esta población es famosa por su templo franciscano de San Andrés, edificado alrededor del año 1548. Lo que hace de él un baluarte de la arquitectura colonial es la iconografía de sus capillas posas, tallada en piedra con tal maestría que un especialista como George Kubler no vaciló en afirmar que "en ningún otro monumento del siglo XVI en México hay una decoración tan elaborada de escenas en relieve" como en dichas capillas.

A mano izquierda de la fachada del templo está la primera posa, dedicada a la Virgen María. Las figuras que ostenta en sus tres lados libres refieren los temas de la Asunción, la Anunciación y los Siete Dolores. La cuarta capilla posa, dedicada a san Juan Evangelista, se halla a la derecha de dicha

fachada, con las figuras de Dios Padre, de los evangelistas en medallones y de un ángel llamando con cornos a escuchar el Evangelio.

Adosadas al muro de acceso al atrio están las otras dos posas: a la izquierda, la segunda, de san Francisco. En un costado tiene dos escudos franciscanos rodeados de monogramas y dos escudos más en el otro, rodeados de ángeles. Sólo en esta capilla se pusieron en lo alto dos estatuillas: una de san Francisco, de hinojos, y otra (hoy desaparecida) de Diego de Ordaz, encomendero de Calpan y Huejotzingo. En la esquina derecha se halla la tercera posa, dedicada a san Miguel, quien aparece en un panel con el demonio a sus pies, flanqueado por los arcángeles Gabriel y Rafael. En la otra cara figura el Juicio Final, con Cristo, la Virgen María, san Juan Bautista y seis hombres saliendo de sus tumbas para ser juzgados. Con ciertas variantes, las escenas fueron

tomadas de distintos grabados o impresos. Así, un libro francés aparecido en 1532 inspiró la figura de la Virgen de los Siete Dolores. Por su parte, la representación del Juicio Final proviene originalmente de la *Crónica de Nu-remberg* de 1493.

Admirar estas capillas, tan llenas de simbolismos, supone un viaje de apenas 37 kilómetros desde la ciudad de Puebla, tomando una desviación que comienza poco antes de llegar a Huejotzingo.

En esta página, una escena del Juicio Final, basada en un grabado alemán del siglo XV y tallada en piedra con singular maestría en una de las capillas posas de Calpan.

PAGINA ANTERIOR. Capilla posa de la Virgen María, con el tema de la Asunción.

Ex Hacienda de Chautla

Horario: viernes a miércoles, de 9:00 a 16:30

A esta finca se llega por la carretera federal México-Puebla. Cuatro kilómetros después de San Martín Texmelucan hay una corta desviación de terracería, a mano derecha, que termina frente al portón de entrada al inmueble.

La hacienda de San Antonio Chautla (hoy conocida como Chiautla) tuvo su época de mayor apogeo en el último cuarto del siglo XIX, al pasar a manos de Eulogio Gillow y Zavala, un sacerdote de ascendencia inglesa que en 1877, cuando la heredó, ya se perfilaba como el prelado más prominente de la Iglesia católica mexicana. Con amplios estudios en colegios y universidades de Europa, en 1866 el papa Pío IX había nombrado a Gillow camarero secreto, y en 1870 miembro de la Corte Pontificia. Por su parte, León XIII lo designó obispo en 1887, y arzobispo en 1891, en ambos casos de Antequera (Oaxaca). Su ascendente carrera se detuvo en 1902, cuando Roma lo consideró para ocupar una silla cardenalicia, aunque nunca alcanzó tal rango.

La biografía de Gillow explica la importancia económica y la magnificencia de las construcciones que se realizaron en Chautla, a fines del pasado siglo. Para dar idea de lo prime-

ro basta decir que la hacienda llegó a comprender seis ranchos y a tener cuatro plantas de energía eléctrica, amén de contar con dilatados sembradíos de magueyes y tres grandes tinacales que la convirtieron en una poderosa finca pulquera. En cuanto a lo segundo es notorio que Gillow se afanó por hacer de ella un pequeño Versalles, mandando construir simétricos jardines y una presa para formar un lago artificial, en medio del cual hizo levantar un gracioso castillete de tabiques rojos, resguardado por cuatro torres.

Después de la muerte de Gillow (ocurrida en 1922) decayó la importancia de Chautla, pero sus principales construcciones no sufrieron graves daños. En 1985 se decidió abrirla al público, ofreciendo una serie de servicios que ahora se han restringido. De cualquier modo se puede llegar hasta su castillo, pasear por sus jardines y pescar y remar en su lago, siempre que uno lleve lo necesario. Un recorrido por esta ex hacienda confirma que la nostalgia de Eulogio Gillow por las lejanas tierras de sus ancestros flota aún en el ambiente.

Por la gracia de su diseño, el castillo de Chautla, que se refleja sobre la superficie tersa de su lago, invita a la ensoñación.

Africam Safari

Horario: todos los días, de 10:00 a 17:00

El último punto de este recorrido nos hace dar un giro, al penetrar en el fascinante reino de los animales que ofrece el afamado zoológico Africam Safari, ubicado a 17 kilómetros de la Angelópolis, por la carretera a Valsequillo.

Fundado en 1972 por el desaparecido capitán Carlos Camacho, Africam tiene hoy más de tres mil animales de unas 250 especies. Muy notable es que esta fauna viva en plena libertad y en un hábitat benigno para su desarrollo y reproducción. El parque está dividido en una sección africana, una sección americana, una internacional y otra llamada El Cielo de los Tigres, además del zoológico infantil Capitán Carlos Camacho. Tiene una zona de pic-nic y otra de embarcadero con alquiler de lanchas para pasear por el lago de Valsequillo, en la que hay fotosafari, tienda de curiosidades y un paseo para montar camello. En el zoológico infantil también hay tienda, fotosafari y un paseo de niños para montar pony, además de un restaurante.

La sección africana es la más grande: consta de tres áreas, denominadas Botswana, Uganda y Kenya. Al final de esta última es que se halla el embarcadero, llamado Mombasa. A esta sección se llega en cuanto se traspasa la entrada principal y se escucha el saludo de un "nativo", que en lengua swahili pronuncia con voz grave *jambo wana*, o lo que es lo mismo: "hola hombre blanco".

Lo que puede verse y disfrutarse en este zoológico es difícil decir en pocas líneas. Ahí están las altivas jirafas con su traje de rompecabezas, la gacela con su cornamenta de lira, la cebra con su pijama a rayas, el avestruz y el ñandú con su esponjada crinolina. También están los felinos, osos y elefantes, o bien las aves exóticas, como la guacamaya, el tucán, el pavorreal, el cálao, el pelícano y la grulla.

En Africam se pueden aprender también muchas cosas. Por ejemplo que el rinoceronte está extinguiéndose por la caza exagerada, ya que a su cuerno se atribuyen propiedades afrodisiacas, como en el caso del mítico unicornio. Que los leones no se

bañan y tienen en el mechón de su cola una garra adicional, que usan para hacerse "piojito". Que los ciervos guapití pierden cada año su cornamenta y cuando la recuperan hay en ella una nueva ramificación, en señal de un año más de vida. O que el constante balanceo del elefante tiene por propósito (¡quién lo dijera!) mantener el equilibrio.

Gran parte del recorrido por Africam debe hacerse en vehículo; en ciertas áreas es imperativo cerrar las ventanillas, en prevención de fieros ataques. Si no se tiene vehículo no importa; de la Central de Autobuses de Puebla (Capu) parte regularmente un autobús de la empresa, inconfundible por su veteado negro y blanco, cual una cebra.

En estas páginas y en las siguientes, magníficos ejemplares de la variada fauna que habita el Africam Safari con amplios márgenes de libertad.

Hacia la Tierra Caliente

1. Puebla
2. Atlixco
3. Centro Vacacional de Metepec
4. Tochimilco
5. Huaquechula
6. Izúcar de Matamoros
7. Laguna de Epatlán
8. Tepapayeca
9. Ojo del Carbón

Las regiones de Atlixco y de Matamoros forman los primeros valles de las tierras progresivamente calurosas de la Mixteca poblana poniente. Resguarda la entrada el soberbio volcán del Popocatépetl, con su falda oscura y su deslumbrante capa de nieve. Al lado opuesto se alza la cordillera del Tentzo, bordeada en su porción meridional por las aguas del río Atoyac, cuyo cauce delimita a ambos valles en el suroriente.

Gracias a sus numerosas corrientes acuíferas, es ésta una región de campos fértiles, de dorados y esmeraldas tonos, pintados por las espigas de los trigales de Atlixco y los cañaverales de Izúcar de Matamoros, dos cultivos que llegaron con los primeros españoles. El dominio de éstos sobre aquellas tierras, en las que se levantaran orgullosos señoríos como los de Iztocan, Cuauhquechollan y Tochimilco, dio origen a una era definida por la amalgama no siempre idílica de dos culturas.

La arquitectura religiosa de la época colonial, por la que esta tercera ruta nos lleva, es una de las expresiones de esa innegable fusión de culturas.

Las huellas del pasado prehispánico se aúnan en el recorrido: no tanto las de tipo material en forma de monumentos, sino aquéllas que sin verlas se perciben nítidamente, en celebraciones actuales como la fiesta del Huey Atlixcáyotl. Algunos de los múltiples atractivos naturales de la región hacen, finalmente, más ameno este itinerario.

Atlixco

A 40 km de Puebla por la carretera federal y a 25 por la vía Atlixcáyotl, la ciudad de Atlixco se desplanta en un valle que, siendo el umbral de la tierra caliente, disfruta las delicias de este clima sin padecer sus inconvenientes. El valle goza además del paisaje majestuoso del Popocatépetl, cuyos escurrimientos riegan de continuo sus suelos. Si a estas ventajas agregamos una historia densa y la pervivencia de añejas tradiciones, comprenderemos por qué Atlixco reclama repetidas jornadas.

La otrora Villa de Carrión se fundó en 1574, cuando la comarca comenzaba a convertirse en uno de los principales centros productores de trigo de la Nueva España. Desde 1540, el éxito en el cultivo de este grano había suscitado la instalación del primer molino de trigo, que permitió el surgimiento de una industria que rivalizó con la de Puebla. La prosperidad alcanzada en el siglo XVII se reflejó en el crecimiento físico y humano de la urbe. Al monasterio franciscano de Santa María de Jesús, edificado entre 1541 y 1569, se sumaron otros templos y conventos, como los de las órdenes de los mercedarios, agustinos, carmelitas y clarisas. En 1744 se empezó a construir la parroquia de La Natividad, en sustitución de la del Dulce Nombre, que al cumplir justos cien años ya resultaba pequeña para la populosa urbe.

Sin duda uno de los recorridos más interesantes por Atlixco es el de sus iglesias, sobre todo las del siglo XVII. Sobresalen entre ellas la de La

Junto a estas líneas, la imagen de la china poblana, convertida ya en símbolo de fiesta y tradición nacional.

Merced, la de San Agustín y la capilla de la Tercera Orden, todas cercanas al zócalo. La portada de la primera se desborda en adornos vegetales que enmarcan unos enconchados nichos; en los fustes de las columnas salomónicas es donde más abundan las guirnaldas de flores y frutos, mientras que el hermoso arco lobulado lo ocupa una puerta tachonada de angelitos.

La portada de la iglesia de San Agustín es menos profusa, con sus columnas de estrías en ángulo y sus hojas de acanto en el arco; pero la torre semeja un encaje, colocado entre las cornisas y sobre los fustes de pilastras sutilmente salomónicas. En cuanto a la capilla de la Tercera Orden, también afloran en su portada las columnas salomónicas, así como las de fuste trenzado y unos adornos vegetalizados de gran plasticidad.

Las columnas de estilo salomónico tienen un antecedente bíblico, pues provenían del templo que Salomón rey erigió en honor del Señor. En Atlixco fueron vehementemente adoptadas y moldeadas con maestría

Arriba, el Palacio Municipal de Atlixco y la parroquia de La Natividad. Abajo, San Agustín, con su característico decorado de argamasa. PAGINA OPUESTA. La rica fachada de la capilla de la Tercera Orden.

por los artífices locales, mezclando tan sólo arena y cal con un aglutinante vegetal. El resultado fue grandioso: el llamado "barroco de argamasa atlixquense".

Un segundo itinerario puede llevar al visitante a ver otras añejas construcciones de la ciudad, como la casa de la Audiencia, el molino de San Mateo, el acueducto Los Arcos y el edificio Rascón. Una vuelta por el zócalo, saboreando los exquisitos helados que se venden cerca, sentados a la sombra de los árboles que circundan el quiosco, es un ejercicio delicioso, como lo es también entrar a algún restaurante para degustar la sopa atlixquense, el guacamole o las truchas adobadas, ahumadas, al mojo de ajo o al epazote. Otro grato paseo es visitar los viveros que abundan en las inmediaciones: colores, formas y perfumes se fijarán en el recuerdo, yendo por ejemplo al rancho El Carmen, al vivero Xochicalli y a la Plaza de las Flores, que se hallan rumbo a Izúcar, o a los viveros de Cabrera, rumbo a Metepec.

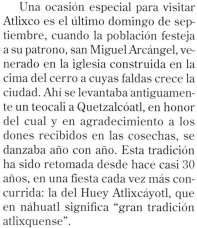

Más de un millar de briosos danzantes participan en las lucidas fiestas de Huey Atlixcáyotl, ejecutando en el *netotiloaya* alrededor de 25 danzas de 11 regiones etnográficas del estado.

Una ocasión especial para visitar Atlixco es el último domingo de septiembre, cuando la población festeja a su patrono, san Miguel Arcángel, venerado en la iglesia construida en la cima del cerro a cuyas faldas crece la ciudad. Ahí se levantaba antiguamente un teocali a Quetzalcóatl, en honor del cual y en agradecimiento a los dones recibidos en las cosechas, se danzaba año con año. Esta tradición ha sido retomada desde hace casi 30 años, en una fiesta cada vez más concurrida: la del Huey Atlixcáyotl, que en náhuatl significa "gran tradición atlixquense".

Esta fiesta es algo que no debe perderse. Se trata de una reunión de pueblos que conviven juntos, celebran su pervivencia y recrean sus tradiciones a través de la alegría de la danza. Con sus trajes multicolores, sus vistosas máscaras y collares de flores, sus flautas de caña, teponaxtles y otros instrumentos musicales, asisten los danzantes que representan a las regiones y etnias del estado: nahuas, mixtecos, popolocas, totonacas, otomíes, mazatecos, etcétera... amén de los mestizos. Abre la fiesta el Baile del Convite, donde los nativos de Atlixco invitan a los demás a que participen; cierra el Tlaxcalteco, el son de mayor arraigo en la región, donde todos intervienen. Entre ambos se presentan, entre otras, la Danza de los Tecuanes, de la región mixteca; la Danza de los Santiagos, del área popoloca; la Boda Indígena, de la zona de la Cañada; la Fiesta Huasteca, de la huasteca poblana, y, desde luego, las danzas de los Quetzales y de los Voladores, de la sierra nororiental del estado.

Centro Vacacional de Metepec

Horario: todos los días; de 9:00 a 17:00

A 32 kilómetros de Puebla y a siete de Atlixco se encuentra el Centro Vacacional de Metepec, instalado en la ex fábrica del mismo nombre, nacida en los albores del siglo XX como una de las tres factorías textiles más grandes de México. A lo largo de seis y media décadas, de sus salas de producción salieron distintas clases de telas de algodón, como driles, popelinas, franelas y cretonas. En sus naves también se formaron varias generaciones de trabajadores, y de ahí mismo salieron controvertidos dirigentes obreros de influencia nacional. La de Metepec fue también, lamentablemente, una historia agitada, marcada por la violencia.

La crisis que embargó a la industria textil en los años de 1960 llevó al cierre definitivo de Metepec en 1967. En 1986 el IMSS adaptó el inmueble para centro vacacional. No faltan en él las albercas, chapoteaderos y canchas de juego, ni los hermosos jardines de un verde perenne, con sus frondosos árboles, plantas trepadoras y variadas flores, subyugantes por sus colores. Un paseo por estos jardines, a pie o en los cuadriciclos que hay en alquiler, es muy confortante. Se puede también visitar el pequeño museo obrero, que se instaló en 1988 en el costado derecho del inmueble, donde se muestran distintos aspectos del trabajo en la fábrica, de la actividad sindical y de la vida cotidiana del proletariado textil del lugar.

Al norte de Metepec está San Baltasar Atlimeyaya, con un conocido criadero de truchas que se saborean en los restaurantes aledaños y que se preparan con distintos condimentos; después está San Pedro Atlixco, con una refrescante cascada.

Arriba, albercas del Centro Vacacional de Metepec. Abajo, viejos testigos del paso del agua por la región. Enfrente, cultivos de flores en la zona agrícola atlixquense.

Templo franciscano de La Asunción y calle de Tochimilco, antiguo señorío indígena. Población de relevancia regional en el largo periodo virreinal, hoy es una quieta villa ubicada en las estribaciones del Popocatépetl.

Tochimilco

En la historia de la Revolución Mexicana, Tochimilco cobró fama como sede de uno de los cuarteles generales del Ejército Libertador del Sur, dada su vecindad con el estado de Morelos. Ahí nació un destacado general: Fortino Ayaquica; ahí vivió otro prominente jefe, Gildardo Magaña, y ahí encontró frecuente refugio el propio Emiliano Zapata.

No es sin embargo esta historia la que nos lleva a Tochimilco, sino su hermoso templo y ex convento franciscano de la Asunción de Nuestra Señora, fundado al parecer por fray Diego de Olarte y construido hacia la década de 1560.

Típico de la arquitectura religiosa del siglo XVI, el templo consta de una nave con testero plano y góticas bóvedas de nervadura. Hay en él dos elementos que lo diferencian de la mayoría de las iglesias de aquella época: por un lado sus contrafuertes, interiores hasta medio muro y exteriores en el resto; y por el otro la disposición diagonal del contrafuerte norte, que contrasta con la de su torre, paralela a la fachada.

En la plaza principal de Tochimilco conviene detenerse a ver su fuente de estilo mudéjar, del siglo XVI, ejemplo de aquellas fuentes que por su función de abastecedoras de agua se convirtieron en centro vital y en símbolo de la comunidad. Por eso fueron ejes de plazas, patios y claustros, ocupando sitios privilegiados, como en este poblado.

Huaquechula

En 1520, cuando Hernán Cortés escribió su segunda *Carta de relación*, uno de los señoríos que describió fue el de Huaquechula, señalando que se trataba de una ciudad amurallada, donde los mexicas le ofrecieron resistencia. En 1559 la población fue dada en encomienda a Jorge de Alvarado, cuyos descendientes la mantuvieron hasta 1696. En su *Historia de los indios de la Nueva España*, Motolinia anotó que en 1534 ya había presencia franciscana en Huaquechula. No se sabe cuándo empezó a edificarse el monasterio, pero se supone que fue en ese año, por iniciativa de Juan de Alameda.

El templo-fortaleza de Huaquechula se distingue por el tono de su piedra marrón claro y sus pesados contrafuertes, dos de los cuales flanquean diagonalmente la portada principal. A decir de Manuel Toussaint, esta portada es una "muestra notable de arte gótico isabelino", desarrollado en tiempos de la reina Isabel. La adornan dos escudos franciscanos con sendos ángeles, un escudo mariano y el relieve de san Martín Caballero, patrón de la iglesia y del pueblo. La portada lateral es única: flanqueando la puerta se hallan las pétreas imágenes de san Pedro y san Pablo, que por su barba y vestimenta parecen copiados de alguna baraja española. Sobre el arco de la puerta se desarrolla la escena del Juicio Final, como en una de las capillas posas de Calpan.

Arriba, portada de la iglesia de Huaquechula. PAGINAS SIGUIENTES. La prodigiosa recreación del Juicio Final, en la puerta norte del mismo templo, inspirada en grabados del siglo XVI.

Vista general de la
iglesia franciscana de
Huaquechula, bajo la
advocación de san
Martín Caballero. En
la página siguiente,
detalle de un árbol de
la vida en el punto en
que ésta empieza, de
acuerdo con la Biblia:
Adán y Eva, los dos
primeros seres sobre
la tierra.

En el interior destacan las bóvedas nervadas con discos al centro, y el púlpito de piedra, cubierto de relieves, dorado y policromado. Los retablos laterales lucen óleos de fines del siglo XVII, firmados por Cristóbal de Villalpando y Luis Berruecos. En la capilla abierta vuelve a manifestarse el gótico isabelino, en la forma conopial de la puertecilla que da al ex convento, en las pomas que la adornan y en su bóveda ojival, semejante a un "verdadero encaje de piedra".

En los días de muertos hay que ir a Huaquechula, cuando los hogares de quienes perdieron a un ser queri-

do en el año se visten con los famosos "altares monumentales". El amarillo intenso de las flores de cempasúchil contrasta con el blanco mate del papel de china que, finísimamente picado, cubre la armadura de estos altares. En un primer nivel suelen colocarse los comestibles y bebidas que, según la creencia, han de venir a probar los difuntos: mole, tamales, chocolate, atole, hojaldras, dulces y frutas. En el segundo nivel van las reliquias que recuerdan a los fallecidos, y en el último una cruz o la imagen de un santo. También se ponen cirios, calaveras de azúcar y sahume-

rios con copal. Se sabe que hay ofrenda en una casa, porque en su entrada se tiende una alfombrilla de pétalos de cempasúchil. Entonces es cuando más se pueden probar los platillos típicos de Huaquechula, como el mole de olores o los tamales de ofrenda.

Huaquechula está a 51 kilómetros de Puebla y a 26 de Atlixco, por la carretera a Izúcar de Matamoros. Tres kilómetros antes se abre a la izquierda un camino de terracería que lleva a La Canoa, Las Fajanas y El Paraíso, tres balnearios provistos de todo lo indispensable para pasar un día de regocijo familiar.

Izúcar de Matamoros

Iztocan, como antiguamente se llamaba esta población, era otro importante señorío que Hernán Cortés tomó con sus ejércitos, en noviembre de 1519. Cuando lo describió al monarca español, casi un año más tarde, se mostró maravillado por la riqueza de la zona y por sus adelantos, particularmente del sistema de riego por gravedad, que tornaba abundantes las cosechas.

En 1523 se empieza a cultivar la caña de azúcar, traída por los españoles, originándose la formación de grandes haciendas trapicheras.

Uno de los cinco monasterios dominicos habidos en tierras poblanas es el de Izúcar de Matamoros, dedicado a santo Domingo. Ya que en 1551 se concedió a los dominicos un repartimiento de indios para la construcción de un monasterio, se infiere que fue entonces cuando se empezó el convento, obra del distinguido constructor extremeño fray Juan de la Cruz.

De recios contrafuertes y fachada de vanos estrechos, el templo de Santo Domingo se ubica a un paso del mercado y del puente del río Nexapa.

85

Su portada de estilo neoclásico está fechada en 1612, pero la torre es, evidentemente, de una fecha posterior. Adentro destaca la capilla de la Virgen de los Dolores y una pila bautismal que, según se dice, es la más grande de la República. Su copa es de una sola pieza y su diámetro mayor que el de la pila de Cuauhtinchan, pues alcanza los dos metros. Hay en el atrio un elevado poste de acero que se utiliza cada 7 de agosto —cuando se celebra la fiesta de santo Domingo— para ejecutar la danza de los voladores, traídos desde Papantla.

Izúcar de Matamoros es un reconocido centro gastronómico. En el mercado hay varias fondas donde se elaboran los guisos típicos de la re-

gión, como el mole de olla, la barbacoa de cerdo y el guasmole. Izúcar es asimismo famoso por sus artesanías, particularmente los imaginativos "árboles de la vida". Dista de la capital poblana 63 kilómetros, si se parte de la Vía Atlixcáyotl.

Laguna de Epatlán

Una carretera flanqueada por cañaverales lleva a San Juan Epatlán, población situada a 15 km de Izúcar y a 80 de la Angelópolis. A la izquierda, dos km de terracería desembocan en una de las lagunas más bellas del estado, por su dilatada superficie y el tono verde-azul de sus aguas.

El sitio tiene sin embargo servicios muy limitados. La pesca está permitida, pero ya que sólo con mucha suerte puede conseguirse una lancha en alquiler, más vale llevar la propia. A la sombra de unas palapas se puede apagar la sed con un refresco, y el hambre con mojarras fritas o bien con sabrosas "gorditas". Desde ahí se aprecia, en la lejanía y tras la laguna, el pueblo de San Martín Totoltepec, del que sobresale su blanca iglesia de dorada cúpula.

Los recios contrafuertes de la iglesia de Santo Domingo en Izúcar de Matamoros, edificada a fines del siglo XVI.

Tepapayeca

Por la carretera que de Izúcar conduce a Cuautla está la entrada al antiguo Tepapanyeca, "lugar bueno y sereno", ubicado a 76 kilómetros de la ciudad de Puebla. Con sus huertos familiares de árboles frutales delimitados por chaparras bardas de piedra bola, este apacible pueblo cuenta con un sitio arqueológico y un pequeño monasterio del siglo XVI.

La zona arqueológica apenas comienza a explorarse. Por ahora se observan sólo dos basamentos, pues varios otros permanecen bajo las casas actuales del poblado. Dos cuerpos que se hallaban encima de lo que hoy se aprecia y el adoratorio prehispánico que coronaba el conjunto fueron demolidos en el siglo XVI. Sus piedras fueron utilizadas en la construcción de nuevos edificios, como el monasterio levantado a finales de la misma centuria.

Cercano al sitio arqueológico, el monasterio está formado por la iglesia de La Candelaria y lo que queda de su convento: el bello y florido patio del claustro, con sus arcadas de me-

**A pesar de ser un pueblo pequeño, Tepapayeca posee dos valiosos monumentos: un ex convento dominico y las ruinas de una pirámide prehispánica.
PAGINA ANTERIOR. Dos momentos de la pesca habitual en la laguna de Epatlán.**

88

dio punto sostenidas por columnas de fuste liso y capiteles de volutas simples. De la misma forma que el ex convento de Izúcar, el de Tepapayeca fue obra de frailes dominicos; es por eso que la arquería del claustro ostenta el escudo de esa orden.

Ojo del Carbón
Horario: todos los días, de 8:00 a 18:00

Desde Tepapayeca se puede llegar a un delicioso balneario denominado Ojo del Carbón, ubicado a 18 kilómetros de Izúcar de Matamoros y a 83 de la capital del estado.

Un borbotón de frescas y cristalinas aguas, ligeramente sulfurosas, dio nacimiento a este balneario, cooperativa de cañeros, cuyos jardines se embellecen con el color brillante de las bugambilias y se benefician con la sombra de jacarandas y otros grandes árboles. Cuenta con dos grandes albercas naturales de bajo fondo, vestidores, restaurante, estacionamiento y zona de *camping*. A cambio de una médica cuota de entrada, Ojo del Carbón ofrece al visitante el disfrute de una saludable jornada.

Una joya celosamente guardada en el templo de Tepapayeca: un santo entierro del siglo XVII con la figura de Cristo. Junto a estas líneas, Ojo del Carbón, uno de los balnearios más concurridos en la región de Izúcar.

CAMINO A LA PREHISTORIA

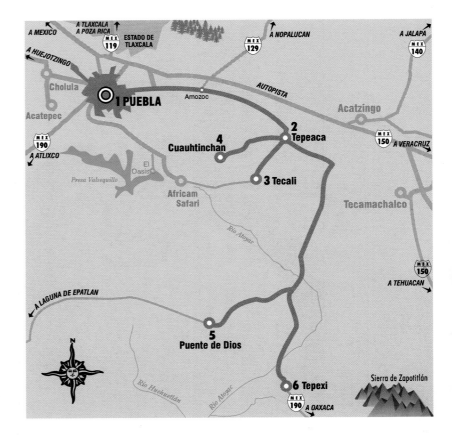

1. Puebla
2. Tepeaca
3. Tecali
4. Cuauhtinchan
5. Puente de Dios
6. Tepexi

Con una arquitectura conventual tan prolija como la de Puebla, bien puede el especialista, o el viajero interesado, planear recorridos que lo lleven por los monasterios franciscanos, dominicos o agustinos, que se levantaron en distintos puntos del territorio del estado. No podrían faltar en sus listas los monumentos de Tepeaca, Tecali y Cuauhtinchan, poblaciones donde la orden seráfica de los franciscanos dejó tres de sus más admirables joyas, erigidas bajo su idea e iniciativa por artífices indígenas que en detalles ingenuos plasmaron su huella.

De una historia de hace cuatro siglos nuestro recorrido avanza en el espacio para retroceder en el tiempo, remitiéndonos a una época que no se cuenta por siglos sino por milenios. El punto final de esta ruta nos instala, en efecto, en las eras geológicas que culminan con la aparición del hombre sapiente, con el cese de las glaciaciones y los primeros balbuceos de la civilización.

Tepeaca

La antigua Tepeyácac, emplazada sobre un "cerro en forma de nariz", fue conquistada por los aztecas en 1466. En 1520, luego de que huyera derrotado a Tlaxcala, Hernán Cortés supo ahí que los tepeyacanos dieron muerte a varios españoles que iban de Veracruz a Tenochtitlan. Comprendiendo la ubicación estratégica de la villa, situada en el principal camino de tierra adentro, decidió sojuzgar a sus pobladores y fundar ese mismo año, sobre el mismo sitio, la ciudad de Segura de la Frontera. En 1543 esa villa, ya entonces llamada Tepeaca, fue trasladada por los franciscanos al pie del cerro; en ella levantaron un gran monasterio que, según la *Relación de Tepeaca y su partido*, en 1580 ya estaba concluido.

El ónix, o roca de calcita, se extrae y se talla con maestría en varias comarcas del sureste del estado.

Consagrado a san Francisco, el ex convento se levanta al filo de la anchurosa plaza principal, ofreciendo el aspecto de fortaleza inexpugnable. Su mole imponente, su corona de almenas, sus contrafuertes rematados por garitones para los centinelas y más que nada los dos pasajes de ronda, denuncian su función de templo-fortaleza. Sus muros color hueso albergan una sola nave, iluminada por 20 ventanas. Las pomas de los remates de los contrafuertes y de la torre le dan un aire "isabelino", pues tales adornos fueron distintivos de la arquitectura ligada al reinado de Isabel la

Pocas construcciones de este género se conservan en México: el llamado Rollo de Tepeaca. Se dice que hasta él llegaba un túnel que partía del monasterio, cuya vista lateral aparece en las páginas anteriores, mostrando los elementos que le confirieron el carácter de convento-fortaleza.

Católica. Otra construcción colonial es el famoso Rollo: una torre de planta octagonal con una escalera de caracol por dentro. Por sus ventanas apareadas o ajimeces este edificio es catalogado como morisco. Se le atribuye la doble función de torre de vigilancia y picota; es decir, un lugar desde el cual se hacía pública y se ejecutaba la acción de la justicia. Esto bien puede ser cierto, si consideramos que fue el "justicia mayor" Franco Verdugo, quien ordenó construirlo en 1559.

También añeja es la llamada Casa de Cortés, inmueble que mira al zócalo, de un solo piso, con fachada de talavera y ladrillo. Una placa señala que ahí firmó el conquistador la segunda de sus cinco *Cartas de relación*, el 30 de octubre de 1520. Pero cuando Cortés escribió esa carta lo hizo desde la Tepeaca vieja y no desde la actual. Lo cierto es que se trata de una casa colonial, quizá del siglo XVII, a juzgar por el mudéjar de su fachada y las jambas y el dintel de su puerta principal. Medida encomiable es que ahí se haya establecido un pequeño museo local, donde la prehistoria está

representada por restos de mamut hallados en los alrededores de Tepeaca, y la historia prehispánica por distintas piezas recuperadas en la zona, más la ilustración de ciertos pasajes de la *Historia tolteca-chichimeca*. La Tepeaca colonial se aprecia a través del convento y del Rollo, sobre los cuales se dan datos históricos y se muestran fotos antiguas y esculturas del ex convento.

No es justo dejar Tepeaca sin decir que desde los tiempos prehispánicos se realiza ahí un magno tianguis, en el que grandes cantidades de productos agrícolas, artesanales e industriales de la región y de mucho más lejos, se comercian los viernes. También precisa decirse que en Tepeaca hay dos fiestas importantes: la del Santo Niño, el 30 de abril, y la de San Francisco, el 4 de octubre. Ambas ofrecen la ocasión para probar los guisos tepeacanos, como el pescado en caldo de guajillo o en tinga, o las verdolagas en salsa verde de chile copí. Apenas 35 kilómetros separan a Tepeaca de Puebla, por la carretera federal 150 que va para Tehuacán.

Tecali

Un conocido pueblo prehispánico del valle de Tepeaca es Tecali, cuyo nombre significa "casa de piedra". En el siglo XII fue habitado por grupos provenientes de Totimehuacan y Cuauhtinchan, quedando como una parcialidad de este último señorío. Cuando en 1520 Cortés sometió a Tepeaca, nombró a Francisco de Montaño primer comendador de Tecali; tres décadas después llegaron los primeros franciscanos.

Tecali es una villa tranquila, que mantiene bien conservado su centro. Sus calles son rectas, planas, aseadas, y en ellas abundan los talleres de ónix o alabastro y las tiendas que venden sus artísticos productos. Hay un mercado municipal de ónix, abastecido por la unión local de artesanos. Hay también una gran tienda de artesanías, a la entrada de la villa. Ahí se puede encontrar desde un pequeño cenicero hasta una gran chimenea de pulido alabastro, así como muchas otras artesanías de Puebla y de otras partes del país: loza de talavera, mar-

Arriba, el ex convento de Tecali, uno de los más hermosos de Puebla. Sobre estas líneas, una de las tallas de ónix de la región.

cos de hoja de lata, objetos de cuero prensado, lámparas de vitrales estilo Tiffany, pulseras de chaquira y perfumadas cajitas de Olinalá, entre otras cosas.

Frente a la plaza principal se alza el ex convento de Santiago Apóstol, bajo custodia del Instituto Nacional de Antropología e Historia. Aun cuando se halla en ruinas es un monumento precioso, tanto por sus características arquitectónicas como por la alfombra de pasto verde y los contrastantes geranios rojos que hay en él.

No se sabe con certeza cuándo se levantó este monasterio, pero se estima que fue de 1569 a 1579. El elegante templo es de planta basilical, distinta al común de las iglesias del XVI, ya que lo forman tres naves paralelas, separadas por dos filas de esbeltas columnas clasicistas que sostienen seis arcos de cada lado.

Para don Manuel Toussaint la portada central es "un ejemplar de renacimiento purista, acaso el más notable que haya existido en la Nueva España". El propio Manuel Toussaint pensaba con fundamento que su constructor había sido Claudio de Arciniega, arquitecto del virrey Luis de Velasco.

Tecali está situado a 46 kilómetros de Puebla por la carretera de Tepeaca, y a 37 por la de Valsequillo. Su principal fiesta es la de Santiago Apóstol, el 25 de julio.

Cuauhtinchan

Tomando la carretera que pasa por Tecali, para llegar a Cuauhtinchan han de recorrerse 58 kilómetros desde Puebla; pero si se va por Totimehuacan y Valsequillo la distancia es de sólo 25 kilómetros.

Con el arribo de chichimecas dependientes de los toltecas de Cholula y luego de varios otros grupos, en los siglos XII y XIII Cuauhtinchan se volvió un poderoso señorío multiétnico, que comprendía una vasta región del centro-sur del actual estado de Puebla. Entre 1527 y 1528, sus pobladores abrazaron la fe católica y en 1534 ya tenían una iglesia que fue sustituida por el templo que hoy vemos, cuya construcción se inició en 1569 y se terminó hacia el fin de la década de 1580.

Carente de toda ornamentación, la fachada del templo es sumamente sobria. En la portada sólo dos columnas toscanas flanquean el vano de la puerta de medio punto; en la ventana coral ni eso. Su altísima bóveda de cañón es

de nervaduras y la viguería del sotocoro tiene un sencillo labrado. Según una inscripción, desde 1817 se cubrieron los frescos del sotocoro con un baño de cal; en esta parte de la iglesia lo admirable es su pila bautismal de cantera gris, cuya copa es de una sola pieza y tiene un diámetro de más de metro y medio.

En el pequeño claustro del ex convento, hay sentencias y pinturas al fresco decorando sus muros; en una de ellas se observan los símbolos de Cuauhtinchan, cuyo nombre significa "nido de águilas". Los restos de un mastodonte hallado en las cercanías, por ahora colocados en el mismo claustro, muestran el interés de los vecinos de Cuauhtinchan por los testimonios del pasado. Esta impresión se refuerza al conocer un pequeño museo montado con la ayuda de Cecilia Tapia Margaona, quien al visitar el pueblo se percató del riesgo que corrían esas joyas coloniales, y en forma entusiasta promovió la restauración de la abandonada parroquia de San

Juan Bautista para instalar en ella el Museo de Arte Religioso, que se inauguró en octubre de 1992 con piezas provenientes, sobre todo, del templo franciscano.

Ahí se pueden admirar ahora distintas imágenes de madera tallada, estofada y policromada, como el hermoso trío formado por santa Ana, la Virgen María y el Niño Jesús, así como un Cristo que pesa menos de 15 kilos, hecho con pulpa de caña de maíz. Un retablo del siglo XVI con pinturas al temple sobre los milagros de san Diego de Alcalá, cuyo autor pudo haber sido Simón Pereyns, fue cuidadosamente estrapado y ensamblado sobre fibra de vidrio para trasladarlo desde la iglesia conventual.

A pesar del carácter religioso de este museo, hay en él un espacio relativo a la formación y desarrollo de Cuauhtinchan. Esto parece acertado porque da al visitante una visión de la importancia prehispánica del señorío y por ello de las proporciones de la obra evangelizadora.

A diferencia de la mayor parte de las esculturas del Museo de Arte Religioso de
Cuauhtinchan, hechas con madera tallada, estofada y policromada, este hermoso
Cristo crucificado es de pasta de maíz, obtenida de la caña en que crecen las mazorcas.
PAGINA OPUESTA. La mole imponente del templo de Cuauhtinchan,
donde san Juan Bautista es patrono.

Puente de Dios

Para llegar a este sitio hay que ir primero a Molcaxac, situado a 70 kilómetros de la ciudad de Puebla, por la carretera a Ixcaquixtla. Dos kilómetros después, sobre la vía a Huatlatlauca, un letrero señala el camino que baja a Puente de Dios. Al término de un descenso por escalinata debe tomarse a la derecha para dar, finalmente, con el hermoso accidente geográfico que constituye este "puente".

En su perenne deslizamiento, las aguas del río Atoyac cortaron en ese punto las rocas de la sierra del Tentzo. Tal vez a causa de un terremoto, uno de los dos cantiles que resultaron del corte cayó sobre el otro, formando lo que no es un puente sino un túnel, por

Junto a estas líneas, boca del túnel de Puente de Dios. Arriba, el agreste paisaje de la Mixteca baja, por los confines de Tepexi.

el cual sigue pasando el Atoyac. Vale la pena conocer esta maravilla de la naturaleza y de paso zambullirse en la cristalina alberca que forma el río en sus umbrales. Ya de regreso a Molcaxac el viaje puede aprovecharse para probar los tradicionales "carneritos" o "cebiches", insectos con un cuernito, muy ricos en proteínas, tostados y servidos en tortilla con salsa picante.

Tepexi

Ubicada a 93 kilómetros de la Angelópolis, Tepexi fue la sede de un señorío popoloca que en los tres siglos anteriores a la Conquista controlaba una porción del sur del actual estado de Puebla. En el siglo XV los conflictos entre popolocas indujeron a la construcción de ciudades-fortaleza, como la de Tepexi El Viejo, cuyas ruinas se ubican en un sitio rodeado por profundas barrancas con un solo ac-

ceso, al que se llega por una brecha que parte de la ranchería Moralillo, adelante de Tepexi.

Pero si los vestigios prehispánicos son aquí motivo de admiración, lo son más aún los vestigios paleontólogicos que se han hallado en las localidades fosilíferas de Tlayua, Pie de Vaca y Agua de Luna. La primera de ellas es la más antigua, pues data del periodo Cretácico y está compuesta por una capa de calizas de 300 metros de espesor, que se formó hace 100 o 120 millones de años. Pie de Vaca es mucho más joven: es una capa de conglomerados, areniscos y calizas de 53 metros de espesor formada en el Plioceno, al final de la era Cenozoica, con una antigüedad de alrededor de cinco millones de años. Agua de Luna es la formación más reciente, integrada por una secuencia de calizas lacustres de poco espesor, correspondiente al Pleistoceno; esto es, a la época en que surgió el *Homo sapiens*, hace casi dos millones de años.

99

Tres kilómetros antes de Tepexi hay, a la izquierda, una desviación de terracería de dos kilómetros que conduce a Tlayua, "lugar de oscuridad". Además de la más antigua es ésta la cantera más pródiga, con cinco mil fósiles extraídos hasta el presente; es asimismo uno de los diez yacimientos fósiles más ricos del mundo. Su riqueza fue vislumbrada desde 1959 por don Miguel Aranghuty, un lajero que al excavar la mina dio con una "mojarra petrificada" que le llamó la atención; tanto que reiteradamente acudió ante diferentes autoridades para dar cuenta de su hallazgo. A pesar de que en 1969 se publicó un reportaje sobre Tlayua, fue hasta 1981 cuando la Universidad Nacional Autónoma de México comenzó a investigar el área, poniendo en marcha un proyecto en el que han colaborado diversas instituciones, como Petróleos Mexicanos, National Geographic Society y el Consejo Nacional de Ciencia y Tecnología.

Museo de Paleontología

Tiempo de recorrido: 15 minutos
Horario: martes a domingo, de 10:00 a 17:00

En septiembre de 1989 se inauguró este museo que, si bien pequeño, exhibe una muestra de las milenarias joyas de Tepexi. Para hacerlo realidad la familia Aranguthy y la señora Guillermina Palacios donaron el terreno donde está situado; los vecinos participaron en las faenas de edificación y la UNAM se encargó de la conclusión de la obra y la museografía, además de asignar un equipo permanente de investigación.

Levantado en el arranque de la desviación a Tlayua, el Museo de Paleontología tiene varias vitrinas con restos de mamutes y de caballos fósiles. En vivo o en fotografía, en él se exhiben reptiles, aves y peces petrificados, lo mismo que las huellas de ciertos animales, como el camello. A través de carteles se hace notar al visitante que el conjunto de peces fósiles hallados en Tlayua sugiere que el ambiente en el cual se formó esta cantera era un mar tropical somero, con arrecifes en su proximidad. Informa asimismo que Pie de Vaca era la orilla de un gran lago por cuya playa pasaron manadas de mamíferos que dejaron su huella, y en donde también hubo aves acuáticas, como lo demuestra el fósil pétreo de un flamingo. Una de las cosas más interesantes que se pueden aprender en este museo es que en Tepexi abundaron los caballos millones de años antes de la llegada de los españoles, pues, en contra de lo que se pensaba, este animal es originario de América. Como bien dice un anuncio en la carretera, visitar Tepexi es llegar hasta la misma "entrada de la prehistoria".

En el Museo de Paleontología de Tepexi se exhiben huellas fósiles, como la de este pez milenario encontrado en Tlayua.

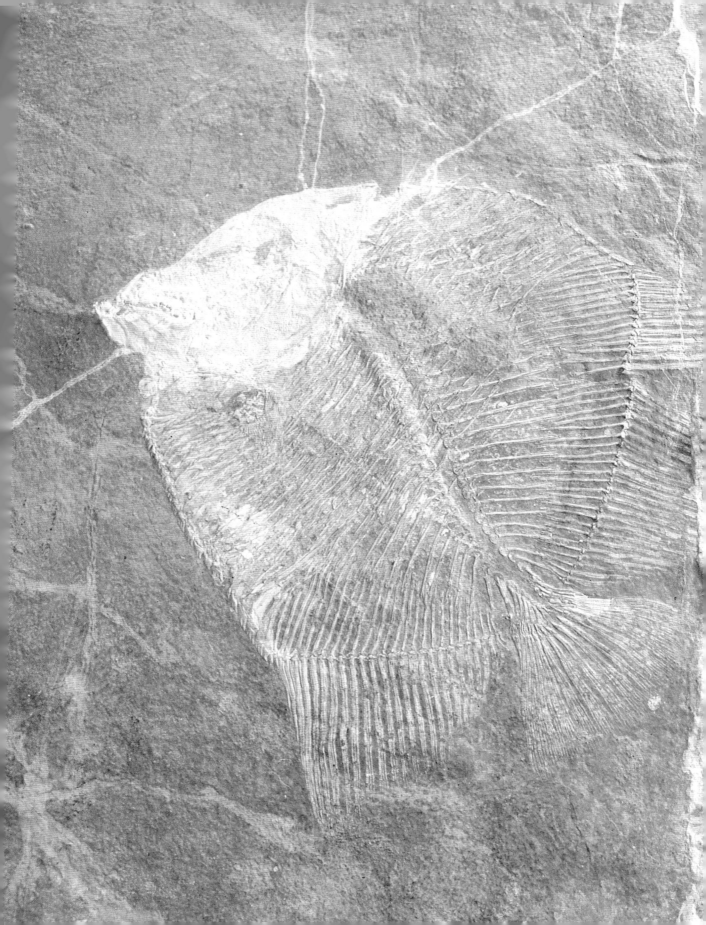

POR EL VALLE DE TEHUACÁN

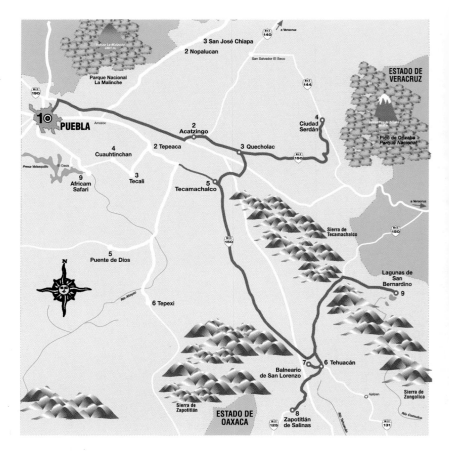

Muchas son las sorpresas que los calurosos rumbos de Tehuacán deparan al visitante. En Acatzingo, Quecholac y Tecamachalco reaparece la sobria arquitectura franciscana del siglo XVI, aunque en las dos primeras de dichas poblaciones no es ésta la herencia más valiosa, sino la que dos centurias más tarde alentara, todavía, la barroca imaginación del clero secular.

El valle de Tehuacán propiamente dicho guarda la vitalísima historia del maíz. Un museo de la llamada Ciudad de las Granadas muestra precisamente la milenaria evolución de esta gramínea, sustento material, cultural y espiritual de los pueblos americanos, y herencia de ellos al mundo. De la historia antigua y moderna de la comarca nos hablan los murales del palacio municipal, mientras que un cúmulo de fascinantes piedras extraídas de las entrañas de la tierra por mineralogistas de varios países del mundo se pueden admirar en otro museo de esta importante urbe.

En las escarpadas cumbres que delimitan al valle hay otros puntos de interés. Al noreste, incrustadas en los intersticios de la sierra de Zongolica se hallan cuatro lagunas de azules aguas, mientras que en el suroeste se abren al cielo las salinas y las canteras de ónix de Zapotitlán, enmedio del agreste manto de cactáceas que cubre estos bucólicos confines del sur del estado.

Enfrente, figura fantástica copiada de grabados europeos; se le puede ver en el sotocoro de la iglesia franciscana de Tecamachalco.

Acatzingo

A esta población, ubicada a 49 kilómetros de Puebla, se llega por la autopista Puebla-Orizaba o por la carretera Puebla-Tehuacán. Aunque se encuentra en la ruta de los conventos franciscanos, por tener uno del que conserva el templo, lo que en ella destaca es la parroquia de San Juan Evangelista y sobre todo su capilla de la Virgen de los Dolores, concluida en el año de 1719.

La madera, el alabastro, la cerámica y la pintura al óleo sorprenden ahí por la maestría con que están trabajados. Así, los churriguerescos retablos de este santuario, labrados en maderas finas, doradas "al agua con oro puro", son excepcionales. También admirable es su cúpula ochavada y los altorrelieves de níveos ángeles que adornan las pechinas, sin menoscabo de su hermosísimo lambrín de talavera azul. Hecho de tableros de alabastro con adornos de madera talla-

da, el púlpito está considerado como el mejor que en su tipo se fabricara en la Nueva España.

Cuatro grandes telas del prolijo pintor poblano Miguel Jerónimo de Zendejas, fechadas en 1775, completan el decorado del recinto. Para los expertos se trata de los mejores cuadros de este pintor; representan *Cristo con la cruz a cuestas*, la *Crucifixión*, los *Apóstoles dando el pésame a la Virgen* y el *Descendimiento de la cruz*.

En la nave central de la propia parroquia hay otro púlpito notable, de mármol con marcos de caoba, semejante a un farol. Y en la capilla de la Virgen de la Soledad, que se ubica en el atrio, sobresale un tercer púlpito fabricado con los mismos materiales, un catafalco bañado de oro laminado de 24 kilates y otras telas de Zendejas, cuyo rostro asoma discretamente en una de ellas.

Aunque muchas manifestaciones del arte son dignas de admiración en la parroquia de Acatzingo, quizás donde el visitante experimenta mayor asombro es en su capilla de la Virgen de los Dolores, espacio que conjuga magistralmente la pintura con el trabajo de la madera, el ónix y la talavera. Dos evidencias de ello son el retablo central y este Cristo crucificado.

Quecholac

El templo franciscano, adaptado para parroquia, no es el monumento arquitectónico más notable de Quecholac, sino la iglesia de La Merced, fechada en 1753.

Integran a esta iglesia dos cuerpos y una torre-campanario. El vano de su puerta es un arco de medio punto y el de la ventana coral una estrella mixtilínea. Las pilastras dobles, los nichos, escudos y distintas figuras ornamentales de la fachada, hechas de argamasa, son superadas aún más por los elementos que la portada de acceso al atrio presenta por ambos lados, elaborados del mismo material. Dos arcos laterales de medio punto y el central trilobulado flanquean la entrada, en medio de una generosa decoración de roleos, flores, vegetales y figuras de ángeles y querubines. Cuatro pilastras salomónicas, sostenidas por altos pedestales, se levantan todavía

Arriba, las decoradas portadas de la iglesia de La Merced, en Quecholac. Sobre estas líneas, el templo de esta población, cuyo campanario se dañó por el sismo del 28 de agosto de 1973.

por el frente y por detrás, dotando con ello de gran armonía al conjunto.

A pesar del grave deterioro de esta iglesia, lo que subsiste es deslumbrante. No en vano decía Manuel Toussaint que por su soberbia ornamentación, no exenta de influencia indígena, este templo constituía un perfecto ejemplar del barroco. Para conocerlo basta un corto viaje, pues Quecholac se halla sólo a 66 kilómetros de la ciudad de Puebla, por la autopista que va hacia Orizaba.

Ciudad Serdán

Cabecera del municipio de Chalchicomula, cuyo nombre en náhuatl significa "Pozo donde abundan las piedras verdes o chalchihuites" (jade). Se localiza en la parte centro-este del estado de Puebla, en el costado poniente del Citlaltépetl o Pico de Orizaba, que con sus 5,743 m es el vol-

cán más alto del país y uno de los retos alpinos de Latinoamérica. Su clima es frío y seco, con grandes llanos productores de maíz, frijol, cebada y trigo.

En 1560, los españoles fundaron esta villa para controlar el comercio entre la costa y las ciudades del altiplano. Durante la independencia fue cuartel de Morelos y, en 1867, Porfirio Díaz sostuvo aquí varias batallas contra el ejército francés. En 1910 se le nombró Chalchicomula de Sesma, en honor de los caudillos insurgentes Antonio y Ramón Sesma y, en 1934, como cabecera municipal, se le denominó Ciudad Serdán, en recuerdo de los heróicos poblanos iniciadores de la Revolución mexicana.

Su parroquia, Nuestro Padre Jesús de las Tres Caídas, data del siglo XVI y es una de sus joyas arquitectónicas, así como el acueducto y las haciendas coloniales de Xalapasco y Ocotepec. En las cercanías está la zona arqueológica de San Francisco Cuautlancin-

Desde Ciudad Serdán, municipio de Chalchicomula, se tiene una vista del Citláltepetl. Sobre estas líneas, la portada de la iglesia de Tecamachalco.

go y las lagunas de Aljojuca, Tecuitlapa y Quecholac.

Durante sus festividades de Semana Santa, la Feria de la Papa en la última semana de agosto y el culto a los muertos en los dos primeros días de noviembre, es posible degustar la deliciosa gastronomía típica: chileatole, mole poblano, quesadillas de cuitlacoche, tamales y conservas de fruta. Entre sus artesanías encontramos notables emplomados, muebles rústicos, calzado de piel, cerámica, herrería y fundición de campanas.

Tecamachalco

Por los *Anales de Tecamachalco* se conoce bien la historia de esta urbe de 1398 a 1590. Cabecera del señorío popoloca que comenzaba desde Quecholac y abarcaba hasta Tehuacán, la importancia de Tecamachalco no decayó ni con la derrota de sus bélicos hijos frente a las fuerzas con-

La iglesia de Tecamachalco, conserva los frescos de Juan Gerson, fechados en 1562. Basta observar algunos de los 28 medallones pintados por el enigmático tlacuilo, inspirado en la *Biblia de Wittenberg*, para tener una idea de la concepción plástica que los artistas del siglo XVI tenían del Antiguo Testamento.

quistadoras. Prueba de ello es que la villa estaba habitada en 1569 por nueve mil familias. En 1541 llegaron a Tecamachalco los primeros religiosos y bautizaron a muchos popolocas. La iglesia consagrada en 1551 se quemó en 1557; se terminó su reconstrucción en 1561. De aspecto austero y coronada por una fila de apretujadas almenas, a su izquierda se desplanta la torre construida entre 1589 y 1591.

Dedicada a la Asunción de Nuestra Señora, la iglesia muestra una combinación de estilos que confirma el carácter híbrido de la arquitectura religiosa del siglo XVI. Su mérito más grande son sus pinturas: 28 medallones, que en un brillante abanico de tonos azules, amarillos, verdes y rojos, decoran la nervada bóveda del sotocoro. Estos óleos están fechados en 1562 y se deben a la prodigiosa mano de Juan Gerson, un tlacuilo o pintor indígena que se inspiró en grabados europeos, sobre todo en la *Biblia de Wittenberg* de 1522. Gerson dedicó 16 medallones a evocar el Apocalipsis de san Juan, ocho a escenas

tomadas del Antiguo Testamento y de los libros del Génesis y de Ezequiel, y cuatro a los símbolos de los evangelistas.

En opinión de George Kubler, el caso de estas pinturas es excepcional por tres peculiaridades: primero por ser el único ejemplo conocido de pintura mural mexicana del siglo XVI sobre temas del Antiguo Testamento y del Apocalipsis; segundo, por haberse inspirado en obras europeas identificables; y tercero, porque son el único caso conocido de murales firmados y fechados.

Tecamachalco se localiza a 79 km de la ciudad de Puebla y es el comienzo de un importante corredor avícola. Su población es de trato amable y celebra las fiestas de La Asunción en la semana del 15 de agosto. En la ciudad hay varios hoteles y buenos restaurantes; no faltan las fondas donde se cocinan platillos de la región, como el guasmole de cabra; tampoco las panaderías, donde se pueden comprar sus famosos cocoles de anís y su pan de huevo, recién salidos del horno.

Tehuacán

Como segunda ciudad del estado, no sorprende que Tehuacán reúna varios sitios de interés. Emplazada en un valle aprisionado al este por la sierra de Zongolica y al oeste por la sierra de Zapotitlán, la villa era importante mucho antes de la Conquista. Desde el siglo XIII había entrado en una época de apogeo, luego del arribo de los tolteca-chichimecas, quienes impusieron sus costumbres, sus creencias y su lengua a los popolocas que vivían en la región. Dado que están las tierras del valle en el comienzo de la Mixteca, los mixtecos y mazatecos han sido otras de sus etnias.

Por iniciativa de los franciscanos, Tehuacán fue en los inicios de la era colonial una urbe errante. Primero se asentó en Coapan; para 1538 se cambió a Calcahualco y en 1567 al sitio que actualmente ocupa, donde enseguida se edificó un monasterio.

No obstante el calor y las pocas lluvias, gracias a sus mantos acuíferos la región es notable por sus frutos. Al ser Tehuacán una encrucijada de caminos, en el mercado de los sábados se comercia una cantidad increíble de productos, como los ajos y los bordados de Chilac; la caña y el mezcal de Calipam; el amaranto y los huauzontles de Huatlatlauca; las tunas y pitahayas de Zapotitlán; los zapotes, membrillos y granadas de los alrededores, sin faltar los productos que llegan de Oaxaca y Veracruz. Muchos son sus guisos preparados con maíz o con huitlacoche, el hongo negro que se arrulla en la mazorca. Esto no significa que los moles de cadera, de chito y de guaje no sean, también, sabrosas muestras de la cocina regional.

En el Parque Juárez, o plaza principal, es común que la gente se detenga a disfrutar de la sombra de robustos laureles y, si es domingo, a escuchar la romántica música mexicana, o la clásica ligera, que en el precioso quiosco ejecuta, solemne, la banda municipal. Frente a esta plaza se halla el palacio del ayuntamiento: un edificio de construcción reciente y de inspiración morisca, cuya entrada precede un soportal con plafón de bovedilla y arcos trilobulados. Cubre todo el interior de este soportal un gran mural pintado por Luis, Rutilio y Santiago Carpinteyro, denominado *Tehuacán y sus cinco regiones*. Ahí, con la emotividad de las formas y la viveza de colores brillantes, se narra la evolución de Tehuacán desde su fundación hasta la época moderna. Otro mural, titulado *Un mundo nuevo*, se halla en la escalinata doble que lleva al segundo piso del palacio. Realizado en 1969 por el maestro Fernando Ramírez Osorio, esta pintura presenta los personajes más importantes de la historia de México.

Arriba, el Palacio Municipal de Tehuacán. Enfrente, los murales del sotoportal de dicho edificio, que aluden a la evolución de Tehuacán y sus cinco regiones, desde la época prehispánica hasta nuestros días.

El Museo del Valle de Tehuacán intenta rescatar la historia prehispánica de esta región en que se alcanzó, hace miles de años, el logro vital de la domesticación de maíz.

Museo del Valle de Tehuacán

Avenida Reforma Norte 200
Tiempo de recorrido: 20 minutos
Horario: martes a domingo, de 10:00 a 16:30

Este museo del Instituto Nacional de Antropología e Historia ocupa una parte del ex convento del Carmen, arriba de la cual se halla la Casa de la Cultura y la biblioteca municipal. En sus vitrinas se exhibe un muestrario de hallazgos prehispánicos, como vasijas, platos, collares de cuentas, piedras de moler y restos de osamentas humanas. De sus muros cuelgan mapas y láminas que sintetizan una historia de casi diez mil años. Ahí podemos enterarnos de la relevancia de Coxcatlán Viejo, uno de los señoríos que florecieron hacia el siglo XV. También podemos tener una idea de las cuevas y sitios arqueológicos del valle, aparte de varias ruinas de pirámides, que por ahora son visitadas casi exclusivamente por los arqueólogos, como las de Calipan, en el pueblo del mismo nombre; Sansuantzi en Coxcatlán; Cuta en Zapotitlán; Tepetiopan, cerca de Tepanco, y Tehuacán Viejo, a sólo cinco kilómetros de Tehuacán.

Siendo el maíz el centro de atención de este museo, en él se intenta seguir la evolución de este cereal, uno de los más importantes del mundo y piedra angular de las culturas de Mesoamérica. Para ello se exhiben algunas de las milenarias y minúsculas mazorcas procedentes del valle, y se señala que fue el doctor Richard McNeish quien encontró, entre 1960 y 1963, "el más interesante y significativo de los maíces prehistóricos conocidos": una serie de mazorcas procedentes de las cuevas de El Riego y de Coxcatlán, fechadas entre 5200 y 3400 a.C. Los estudios permitieron concluir que el cultivo del maíz se inició en el valle hace cinco mil años, y que fueron los recolectores y cazadores quienes lo convirtieron de maíz silvestre en maíz domesticado. Esto ha llevado a sostener la tesis de que Tehuacán fue uno de los primeros centros de domesticación del maíz, base alimenticia y cultural de los pueblos de América.

Museo Mineralógico

Calle 7 Norte 356
Tiempo de recorrido: 20 minutos
Horario: de lunes a viernes, de 9:00 a 12:00 y de 15:00 a 18:00; sábados, de 9:00 a 12:00

Acudir a este museo es penetrar en el mundo insospechado de la geología, ciencia que estudia la composición de la corteza terrestre y sus cambios en el tiempo. Detenerse frente a sus exhibidores y anaqueles es acercarse, más específicamente, a una rama de la geología que surgió desde la antigüedad, al creerse que los minerales tenían virtudes mágicas: la mineralogía.

Este museo reúne una colección excepcional de aproximadamente diez mil minerales, producto del esfuerzo de Miguel Romero, científico mexicano egresado de la Universidad de Harvard, quien invirtió más de 20 años de su vida en formar tan vasta colección, actualmente dividida en tres secciones: una de exhibición, otra de minerales mexicanos y una sección "sistemática".

La primera comprende más de mil piezas; 670 colocadas en las vitrinas del salón principal del Museo, 200 en los anaqueles de la biblioteca y unas 300 que no están a la vista por falta de espacio. La variedad y la combinación de formas, colores y texturas es asombrosa; hay minerales opacos y rugosos como el grafito; radiantes o lumínicos como la fluorita; traslúcidos como el cuarzo; parduzcos como la blenda. Los hay también de cristales hexagonales, octaédricos y de otras geometrías. Unos son de colores vivos, semejantes a gelatinas de agua; otros parecen bagazos de caña, espadas y puntas de lanza, maderos veteados, cavernas y cubos sobrepuestos. Son hipnóticos cristales de nombres sabidos, como el ágata, el topacio, la amatista y la sal, o de nombres desconocidos para el común de la gente, como la rodocrocita, la danburita y la estibinita. El propio doctor Romero descubrió la mapimita y la ojuelaíta.

Tan importante como darlos a conocer, es estudiar las características y potencialidades de los minerales. Por eso junto al Museo hay un equipo de investigación aplicada que analiza todas las piezas, provenientes de varias regiones de México pero también de otros países. Paradójicamente, la mayoría de los minerales mexicanos de este museo han sido adquiridos en el extranjero.

Balneario de San Lorenzo

Horario: todos los días, de 6:00 a 19:00

Los alrededores de Tehuacán cobraron fama por sus manantiales de aguas minerales, cuyas propiedades curativas descubrió un sacerdote, en 1802. Sin embargo, no fue sino hasta fines de ese siglo cuando en los veneros se empezaron a construir balnearios y suntuosos hoteles campestres, como El Riego, de don Wenceslao Mont, o el Garci-Crespo, de don José Garci-Crespo.

San Lorenzo es el único de los balnearios de aguas minerales que a la fecha sobrevive. Está ubicado a 117 kilómetros de la ciudad de Puebla, dos kilómetros antes de llegar a Tehuacán.

Un añejo ahuehuete, de copa abundante y tronco por demás voluminoso, domina la fuente construida en el nacimiento del manantial. Enfrente se halla el balneario, con una alberca

rústica y una olímpica, más tres cha-poteaderos. Sus espaciosos jardines son muy floridos y arbolados: bugam-bilias, adelfas, lantanas, pinos y jaca-randas prodigan sombra y recrean la vista de los bañistas, quienes tienen además a su disposición vestidores, regaderas, fuente de sodas y cancha de basquetbol.

Zapotitlán Salinas

Partiendo de Tehuacán, la sinuosa carretera federal que lleva a Oaxaca, vía Huajuapam de León, toca el muni-cipio de Zapotitlán, situado en una zona de suelos resecos y accidenta-dos, contrarios al carácter apacible y acogedor de su gente.

A 147 kilómetros de la ciudad de Puebla, Zapotitlán vive de sus cante-ras de alabastro y de sus salinas, a las que se puede llegar en automóvil, con el debido cuidado, por distintas vere-das que parten de la carretera. En los talleres familiares, el blanco alabastro,

proveniente de yacimientos del perio-do Cuaternario, se convierte en her-mosas figuras de todos tamaños. En aras de obtener una producción más colorida, también se talla el ónix ver-doso de Oaxaca, el negro de Orizaba y el ocre de Zacatecas.

La producción de sal en la región se remonta a los tiempos anteriores a la Conquista. Hoy, las salinas se en-cuentran por doquier y llaman la aten-ción por su ordenada disposición en terrazas —que los salineros denomi-nan "parajes"—, pero sobre todo por la suavidad de sus ricas tonalidades, que van del blanco al lila, pasando por verdes, amarillos y rosas, según el tiempo que lleven expuestas al sol.

Normalmente, cada tres meses se levantan tres cosechas distintas de sal: la sal tierna, la sal de arrobas y la sal de ganado. Cada paraje rinde entre 20 y 40 kilogramos de sal por cosecha. El 3 de mayo, los salineros festejan con júbilo su día y se reúnen cerca de La Venta, en una colina en cuya cima hay una cruz.

Las Salinas Grandes de Zapotitlán, que tienen tras de sí una tradición secular, llaman la atención por su abanico de suaves colores, derivados del tiempo que cada terraza lleva exponiéndose al sol.
PAGINA ANTERIOR. Propiedad de una cooperativa de ejidatarios, el balneario de San Lorenzo representa, para los vecinos y visitantes de Tehuacán, una ocasión de sofocar el calor con sus refrescantes y famosas aguas.

Jardín Botánico y Vivero de Cactáceas

Tiempo de recorrido: 15 minutos
Horario: todos los días; de 10:00 a 14:00

La sierra de Zapotitlán, con sus densos silencios, resulta en momentos sobrecogedora; no en vano forma parte de una vasta región que comprende una porción de Oaxaca, el este y noreste de Guerrero y el sur de Puebla, donde tiene asiento el "macizo arcaico", constituido por las rocas más antiguas del país. La pertinaz presencia de cactus columnares, que bien resisten el abrasante sol, marca fuertemente el paisaje de esta serranía.

Aprovechando esa vegetación, tres kilómetros antes de llegar a Zapotitlán se ha establecido recientemente el Jardín Botánico y Vivero de Cactá-

ceas, al que conduce un camino muy corto de terracería. Ahí los órganos se enseñorean más todavía, dejando poco espacio a los agaves, biznagas, mamilarias, garambullos y otras especies de cactus cuajadas de aguijones o de espinas.

A los entusiastas de la paleontología les interesará ir hasta San Juan Raya, 14 kilómetros al oeste de Zapotitlán, por camino de terracería. Su importancia como yacimiento fosilífero se determinó desde 1830, gracias a las exploraciones del belga Enrique Galeotti. Restos de caracoles, esponjas, madréporas y ostras, entre casi 180 especies de fósiles hallados, evidencian que San Juan Raya formó parte de un litoral, hace muchísimo tiempo: entre 60 y 125 millones de años, ¡nada menos!

Lagunas de San Bernardino

A 160 kilómetros de la capital del estado se localizan las lagunas de San

Bernardino. Para llegar a ellas hay que ir a Tehuacán y tomar la carretera a Orizaba; a 19 kilómetros se hallará a la izquierda la entrada a Azumbilla, y a la derecha un camino a Vicente Guerrero. Siguiendo las curvas de esta desviación, después de 22 kilómetros se encuentra San Bernardino.

Estas lagunas están próximas unas a otras, pero separadas entre sí por los picachos de la sierra de Zongolica. Aunque son en total cuatro lagunas, las dos que primero se hallan en el camino son las más frecuentadas. La segunda de estas dos, llamada Laguna Grande, es la de mayor atractivo, tanto por su tamaño como por el azul intenso de sus aguas y los servicios con que cuenta: un modesto restaurante, lugar para estacionamiento y sanitarios. A cargo de una cooperativa de pescadores se encuentran los paseos colectivos en lancha de motor y el alquiler de lanchas de remos. Para completar el recreo bien puede ejercitarse la pesca: quizá una mojarra o una carpa muerdan el anzuelo.

Arriba, la Laguna Grande de San Bernardino. Junto a estas líneas, el Jardín Botánico y Vivero de Cactáceas de Zapotitlán.

EN LOS LLANOS DE SAN JUAN

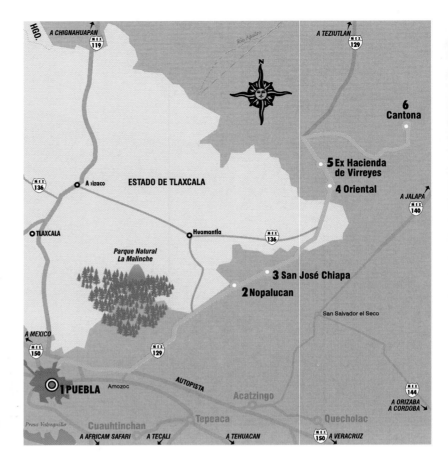

1. Puebla
2. Nopalucan
3. San José Chiapa
4. Oriental
5. Ex hacienda de Virreyes
6. Cantona

Pequeño pero variado es este interesante recorrido hacia el norte del estado de Puebla, pues siguiéndolo se hallarán tesoros de distintas épocas y de muy diversa naturaleza.

Comienza con dos magníficas obras del arte barroco novohispano auspiciado por la Iglesia: los caprichosos retablos de madera dorada de la parroquia de Nopalucan, extrañamente poco conocidos, y el hermoso retablo de alabastro de la iglesia de San José Chiapa, valorado desde mediados del siglo XX.

El siguiente punto nos coloca en las postrimerías del siglo XIX y en los inicios del XX, cuando el segundo aire de la Revolución Industrial suscitó en todo el país la formación de numerosos pueblos obreros, algunos de ellos ferrocarrileros, como el de Oriental. Este nuevo poblado se asentó, por cierto, en tierras que pertenecían a San Antonio Virreyes, una ex hacienda que en el camino se hace notar por su bello y conservado casco, de finales, del periodo colonial.

El recorrido concluye en la monumental ciudad prehispánica de Cantona, situada en los actuales municipios de Tepeyahualco y Cuyoaco. Aunque son relativamente recientes las exploraciones arqueológicas en Cantona, el sitio ya es objeto de la curiosidad e interés de los amantes del México precolombino. Un circuito de visita da una idea de la gran importancia de esta zona arqueológica, derivada de la función de ciudad-puente que su estratégica ubicación le permitiera ejercer entre el Altiplano y la zona del Golfo.

Las tierras planas de los llanos de San Juan se extienden hasta perderse en el horizonte; en las postrimerías de las faenas de recolección, con sus tonos dorados anuncian la presencia del otoño.

Nopalucan

Este pequeño poblado se encuentra en la intersección que forman las faldas inferiores del volcán de La Malinche y el límite poniente de los dilatados llanos de San Juan.

En su parroquia, construida en el siglo XVII bajo la advocación de Santiago Apóstol, se conservan importantes muestras del arte barroco. En la fachada sólo la torre, con la decoración en argamasa que tienen sus pilastras, anuncia tímidamente lo que hay dentro: una serie de retablos cuya riqueza va *in crescendo*, conforme se avanza por la nave. Son joyas coloniales cubiertas de un oro viejo, en las que la madera forma marcos, cornisas, peanas, conchas y columnas con

Retablo barroco de san José, en la parroquia de Nopalucan.

caprichosos adornos de flores, plantas, roleos y rizos.

Son notables los dos retablos del final de la nave, dedicados a san José y a La Dolorosa; pero aún más bellos son los del crucero, dedicados a la Preciosa Sangre de Cristo y al Padre Jesús de las Tres Caídas. De los cuatro, sólo el de san José es churrigueresco y los demás salomónicos, éstos con sus columnas de típica espiral acaracolada.

Las pinturas del retablo de La Dolorosa están fechadas en 1737 y se atribuyen a Francisco Xavier Salazar. El retablo de la Preciosa Sangre de Cristo tiene en su remate un lienzo firmado por el fecundo pintor poblano Juan de Villalobos.

Para llegar a esta población hay que tomar la autopista Puebla-Orizaba y salirse en Amozoc, continuando por la carretera a Oriental. Nopalucan se halla a 46 kilómetros de la ciudad de Puebla, poco antes de San José Chiapa, el siguiente punto de este recorrido.

San José Chiapa

Sobre la interesante historia que condujo a la erección de la iglesia de San José Chiapa, y de la joya sin igual que alberga, Francisco de la Maza nos dejó el regalo de uno de sus más espléndidos y acuciosos trabajos.

Empieza diciendo que en una lluviosa tarde de junio de 1647, Juan de Palafox y Mendoza, poderoso obispo de Puebla, visitador general del Reino, juez de residencia de dos virreyes, ex arzobispo electo de México, ex virrey y ex capitán de la Nueva España, huyó precipitadamente de la ciudad de Puebla, y después de andar y de desandar caminos, tras muchas y agotadoras jornadas, llegó a la humilde hacienda de San José Chiapa: "vestía hilachos por sotana, andaba descalzo, y la nutrida y negrísima barba le cubría el pecho". Dedicado a escribir y a oficiar la misa en la capillita contigua al lóbrego cuarto que ocupaba, permaneció oculto hasta que

regresó a Puebla, en noviembre del mismo año. Una enconada querella con los jesuitas de la Angelópolis, que no era sino expresión de la lucha desatada entre el clero secular y el regular, había empujado al obispo Palafox a ponerse a salvo, por si resultaba cierto el rumor de que sería "apuñaleado en la procesión del Corpus".

La pequeña capilla de la hacienda de Chiapa fue donada en 1768 a la mitra de Puebla. Tocó recibirla al obispo Francisco Fabián y Fuero, quien un año después mandó transformarla, en honor de Palafox, en una auténtica obra de arte. La portada de cantera, la ventana coral en forma de estrella, las torres con sus estípites churriguerescos, tan altos que se elevan desde el piso hasta el pretil de la azotea, forman un conjunto de sutil elegancia. En el interior, no menos elegante es el púlpito de lajas de alabastro con madera incrustada, de un fino trabajo de marquetería. Pero lo mejor es sin duda el retablo: como bien señaló De la Maza, "algo peculiar, diferente, único". Así lo hace el material con que está modelado: ónix o alabastro. Se sabe de otros retablos realizados por completo con alabastro, mas ninguno queda ya; sólo éste, el del templo de Chiapa, que "se ha salvado por lejano y oculto, como se salvó Palafox".

Es un retablo de orden salomónico, propio del siglo en que vivió Juan de Palafox y no del que le tocó vivir al obispo Fabián y Fuero: tal vez, como señal del homenaje de éste a aquél. En sus dos cuerpos sobresalen ocho columnas, semejantes a "enormes cirios de purísima cera". En el corazón del retablo está la representación de la Crucifixión, con vigorosas esculturas de Cristo, la Virgen María y san Juan. Por encima de esta escena y teniendo como fondo una gran ventana se alza La Purísima, y en la clave de la ventana el relieve de La Trinidad. Todo, de lado a lado y del piso al techo, está hecho de alabastro blanco lechoso, con reflejos ambarinos y verdosos.

San José Chiapa es una pequeña población que se halla a 52 kilómetros de la capital poblana, sobre la carretera 129 que sube hasta la sierra nororiental. Tiene varias fondas donde la gente es amable y la comida sabrosa, aunque el establecimiento más concurrido es La Loba, un bar-restaurante que está a la entrada del pueblo, cuyo éxito se debe a unas enormes cemitas rebosantes de carne, pápalo, aguacate y quesillo.

De la fachada de la iglesia de San José Chiapa, modesta población de los llanos, sobresalen sus elevadas columnas estípites. Más deslumbrante, sin embargo, es su soberbio retablo, de reflejos ambarinos y verdosos, que aparece en la página siguiente; tallado en ónix o alabastro de principio a fin, es una joya del arte religioso, única en su género en el país.

Oriental

La villa de Oriental se ubica a 83 kilómetros de la ciudad de Puebla por la carretera que viene de San José Chiapa, y a 114 por la que viene de San Salvador El Seco. Nació en la última década del siglo XIX como una estación del Ferrocarril Interocéanico, situada a mitad del trayecto que partía de Puebla y concluía en el puerto de Veracruz. Poco más tarde, desde la propia estación se tendieron otras vías: una hacia Teziutlán (precisamente la del Ferrocarril Oriental, de donde el pueblo tomó su nombre); otra que iba para Libres y otra más, que atravesando Tlaxcala llegaba hasta la ciudad de México.

Esta confluencia de caminos de hierro fue determinante para que

Oriental fue en la época porfiriana un cruce de caminos de hierro, vital para la economía del centro-norte de la entidad.

Oriental se transformara de una mera estación en una villa ferroviaria, con una vida animada por el intenso tráfico de pasajeros y de mercancías. Mas no fue sino hasta bien entrado el siglo XX cuando esa transformación se formalizó, luego de que en 1917 se dieran a Oriental tierras para su fundo legal, y se instalara su primera junta auxiliar. En 1920, en atención a los servicios que la villa había prestado en favor de la Revolución —pues los trenes eran esenciales para la misma—, se dotó a sus vecinos de tierras ejidales.

Oriental es hoy un pequeño poblado que languidece, por la decadencia del sistema ferroviario nacional. Pero el porfiriano edificio de su estación, sus empalmes de vías y el cansado andar de los vetustos carros de ferrocarril forman una especie de museo ferroviario del ayer... un recuerdo de las doradas épocas en que el silbido y el chaca-chaca de la locomotora fueron símbolo sonoro de la revolución industrial.

Ex Hacienda de Virreyes

Atravesando por la carretera las extensas planicies de los llanos de San Juan y viendo desde ahí sus tierras yermas, erosionadas por los vientos que corren sin más obstáculo que unas cuantas cortinas de árboles, nadie se imaginaría que la zona es heredera de una notable arquitectura agraria. Sólidas construcciones como las de las viejas haciendas de San Roque, Texmelucan, La Calderona, Barrientos, La Concepción, Teoloyuca y muchas otras son evidencia de la importancia que esta institución tuvo en la zona.

Un casco de hermosa fachada y marcado corte señorial es el de la ex hacienda de San Antonio Virreyes, situada a cinco kilómetros de Oriental y a 88 de la ciudad de Puebla. Dado el tamaño y la fastuosidad de las "casas grandes" que conservan algunas fincas de la región, la de Virreyes no es un ejemplo típico de las haciendas

mayores, pero sí un recuerdo del auge vivido en otros tiempos por muchas fincas poblanas.

Virreyes fue en sus orígenes un mesón, levantado en el recodo de un camino real que partiendo de México cruzaba el actual estado de Tlaxcala y se adentraba por la parte más angosta del de Puebla, para salir a Xalapa rodeando el Cofre de Perote y llegar finalmente al puerto de Veracruz. Un alto en el fatigoso camino, un sitio de reposo y un momento de respiro era ese lugar, donde los viajeros, arrieros y carreteros, o los guardianes de las conductas de plata que salían de la Nueva España para el Viejo Mundo, aprovechaban para alimentarse y descansar, así como para remudar tiros,

Sin muros que la oculten, la señorial fachada de la ex hacienda de Virreyes deslumbra por su albura y es un testimonio de la importancia de estas unidades productivas en la región.

cambiando sus exhaustas bestias por otras frescas y briosas. No se sabe quiénes pero se asegura que varios virreyes se detuvieron ahí, y por eso a la hacienda que a fines del siglo XVIII nació de tal mesón, se le puso el nombre de Virreyes, precedido del San Antonio que llevaba el lugar donde se erigió (San Antonio Sotoltepec).

Matías Jacob —un español sefardí que al llegar a la Nueva España, en ese mismo siglo, se vio obligado a cambiar su apellido de ascendencia hebrea por el castizo Rivero— compró aquel mesón tras valorar su inmejorable ubicación, gracias a la percepción que le despertó el ejercicio del comercio y la arriería entre Zacatecas y Veracruz. Mas no fue Matías, sino su hijo, Ignacio Rivero Moctezuma, quien transformó la propiedad en una hacienda, uniendo las tierras de Sotoltepec y las de Santa María Tlaxcayahualco. El mismo diseñó incluso la fachada del pequeño y albo casco, que por fortuna se conserva intacta.

Cantona

Dentro de las zonas arqueológicas más importantes pero menos conocidas del Altiplano central está la de Cantona, a la que se llega por la carretera federal 129 que pasa por Libres. De ahí hay que llegar a Tepeyahualco para tomar el camino a Cantona, ubicada a unos 115 kilómetros de la capital del estado.

El rescate de esta urbe prehispánica, de gran complejidad arquitectónica, ha revelado que se trata de una megalópolis del centro-norte de la cuenca de Oriental, ubicada en un "mal país" o zona de escasa vegetación, que comprende un espacio de 11 a 12 kilómetros cuadrados, muy denso en vestigios materiales, cuya importancia provino de su papel, de ciudad-puente entre el Golfo-sur y el Altiplano central.

En su ubicación estratégica sobre la ruta comercial y de intercambio

cultural entre los pueblos de la costa oriente y los de las tierras altas del centro, se halló el origen de su desarrollo, casi espectacular. Hoy se sabe con certeza que su apogeo se produjo entre el Clásico Tardío y el Posclásico Temprano; es decir, entre el siglo VII y el siglo X.

El lector tendrá una idea de la magnificencia que cobró Cantona al saber que hay en ella de tres a cinco mil patios y 15 mil estructuras arquitectónicas. Tenía un amplio y elaborado sistema de comunicación, con calzadas elevadas y numerosos callejones, pasillos, escalinatas y rampas. Poseía además una intrincada red de patios delimitados por muros perimetrales, casi todos dentro de otras estructuras arquitectónicas. Se han descubierto restos de altares, pirámides y aposentos, lo mismo que 22 juegos de pelota. En ningún otro asentamiento prehispánico de México se han encontrado hasta ahora tantos de estos juegos como en Cantona.

Escalinatas de la ciudad prehispánica de Cantona, junto con un detalle de una de sus calzadas.
PAGINA SIGUIENTE. Uno de los 22 juegos de pelota hallados en esta megalópolis que enlazaba al Golfo con el Altiplano.

De la existencia de esta urbe se supo a fines del siglo XVIII, cuando se le mencionó en las *Gacetas* del sabio mexicano José Antonio Alzate; no obstante se considera al investigador francés Henri de Saussure como su descubridor formal, en el año de 1855. Estudios cada vez más serios comenzaron a realizarse desde la década de 1930, pero fue hasta 1993 cuando se inició un proyecto planificado de rescate.

Dada la monumentalidad de Cantona, por el momento sólo se halla habilitada una parte representativa del asentamiento, a partir de la cual el visitante tiene una visión de lo que fue esta gran urbe. El circuito de visita incluye calzadas elevadas, áreas habitacionales, plazas, patios y plataformas, así como tres juegos de pelota, dos pirámides y un temazcal. Aunque esta zona sólo representa el dos por ciento de la superficie de Cantona, la extensión del recorrido es de tres kilómetros.

LA SIERRA NORTE, POR EL LEVANTE

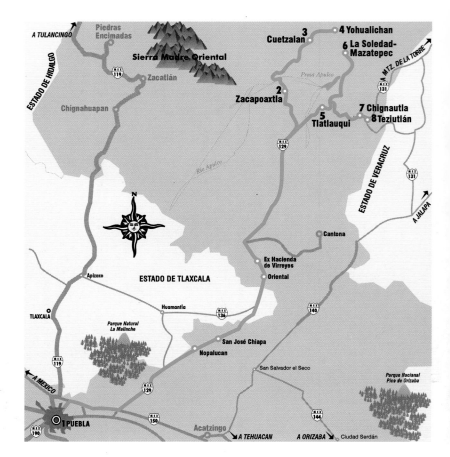

1. Puebla
2. Zacapoaxtla
3. Cuetzalan
4. Yohualichan
5. Tlatlauqui
6. La Soledad-Mazatepec
7. Chignautla
8. Teziutlán

En el territorio del estado, la sierra norte luce como un enorme jade de reflejos fulgurantes. Hay tanto por conocer y admirar que resulta imperioso hacer al menos un recorrido por el levante y otro por el poniente. El primero forma nuestra séptima ruta y se bifurca en dos direcciones: una que comienza en la ciudad de Zacapoaxtla y atraviesa la célebre y pintoresca villa de Cuetzalan, para terminar en la zona arqueológica de Yohualichan, el mayor vestigio de la cultura totonaca en tierras poblanas.

La segunda dirección se abre paso hasta el extremo oriente, cerca de los límites con Veracruz. Se inicia en la sosegada ciudad de Tlatlauqui y se desvía hacia la hermosa presa de La Soledad y el pueblo de Mazatepec. Retomando el camino sigue por la risueña población de Chignautla y concluye en Teziutlán, la urbe más relevante de esta porción del estado.

Inmersos en las fragosidades de la Sierra Madre Oriental, los puntos de esta ruta comparten un paisaje de infinita belleza, formado por nutridos bosques, cascadas cristalinas, umbrías cavernas, profundos barrancos y altivos riscos, envueltos todos en una atmósfera mágica, impregnada del olor de las mejores tradiciones, patentes en las fiestas, las danzas, los atuendos y la sabrosa comida regional. Si a ello se agrega el comedimiento y hospitalidad de los lugareños, se tendrá completo el abanico de razones que existen para visitar esta región del norte poblano.

Zacapoaxtla

Enclavada en la sierra nororiente, la villa de Zacapoaxtla descansa al pie de majestuosas cumbres, entre otras la del volcán apagado del Apaxtepec y las de Poder de Dios y Tres Cabezas, que forman la llave de esta serranía. Los ríos principales son el Texpilco, afluente del Apulco, y el Atehuetzian, que se despeña en un grácil salto por el poniente. A 156 kilómetros de la ciudad de Puebla, Zacapoaxtla conserva su aspecto de ciudad provinciana: sus casas siguen siendo de mampostería y techos de teja, que se prolongan por el frente para formar aleros contra las lluvias y tempestades suscitadas por los vientos del Golfo, comunes en el otoño e invierno. Nutridos bosques de encino, oyamel, haya y cedro visten montañas y barrancos, y en los campos del norte se cultiva el café, las frutas tropicales y la caña de azúcar, mientras que en el centro y sur dominan los cultivos tradicionales.

Se sabe que en los primeros siglos de nuestra era casi todo el nororiente del actual estado de Puebla pertenecía al Totonacapan, y que en el siglo XII esta región formaba parte del Chichimecatlalli, uno de cuyos seño-

Los grandes helechos visten de esmeralda la húmeda sierra norte del estado.

128

130

ríos fue Tlatlauhquitepec, que comprendía Zacapoaxtla. De este modo Zacapoaxtla y los demás pueblos de dicho señorío eran nahua-chichimecas con antecedentes totonacas. En 1524, los españoles dominaron la región y Tlatlauhquitepec (junto con Zacapoaxtla) quedó encomendado a Jacinto Portillo, un conquistador que después se volvió religioso, conocido como "fray Cintos". De 1530 a 1567, los franciscanos trabajaron en toda el área, pero Zacapoaxtla tuvo una rústica iglesia hasta 1576, aunque ya entonces bajo la advocación de san Pedro. Del templo que se levantó en el mismo sitio entre 1611 y 1645 aún subsisten los contrafuertes y la torre.

Existen varios sitios de recreo cerca de Zacapoaxtla. En el camino a Cuetzalan los parajes del río Apulco asombran por su inefable belleza: a la cascada de La Gloria se suman pozas naturales, mantos de orquídeas silvestres y el vetusto casco de una ex hacienda. Subiendo la cuesta está el balcón de La Cumbre, desde el cual se domina la abrupta serranía y en días despejados la Barra de Nautla y

En las cercanías de Zacapoaxtla se encuentran mantos de orquídeas silvestres. Arriba, mural alusivo a la Batalla del 5 de Mayo, en los muros del Palacio Municipal de Zacapoaxtla, cuyo edificio vemos arriba, en la página opuesta. Enfrente, abajo, una de las típicas calles de la misma población.

el Golfo de México. Cerca de Nauzontla hay dos cavernas, una de ellas con siete túneles, y otra en Zoquiapan con hermosas estalactitas.

Cuetzalan

Por la belleza de sus paisajes, la pervivencia de sus tradiciones y su pintoresca fisonomía, esta ciudad es uno de los principales focos de atracción turística del estado. A 182 kilómetros de la capital poblana, Cuetzalan se ubica en la vertiente serrana que baja hacia Veracruz, en una feraz región de clima semicálido, humedecido por perseverantes lluvias y neblinas.

Cuetzalan, o "lugar de los quetzales", fue uno de los asientos totonacas conquistados por Tízoc y Ahuízotl, e invadidos hacia el siglo XV por grupos nahuas. Por eso se habla el totonaco, el náhuatl y el "castilla", éste introducido por franciscanos hacia 1530.

Aunque la parroquia de San Francisco de Asís no es antigua, por su sobrio estilo renacentista y su elevada torre constituye uno de los sitios de mayor interés. Otro templo admi-

131

Cuetzalan no sólo atrae por
la fuerza de sus tradiciones,
también por sus iglesias,
sus entejados caseríos y sus
gratas callecillas, tan
húmedas como empinadas.

rable es el de la Virgen de Guadalupe, llamado "iglesia de los jarritos", por las hileras de vasijas de barro que recorren las aristas de su torre. Estos curiosos adornos refuerzan su estilo gótico, evidente en su esbelta torre de aguja y en la forma ojival del arco de su puerta y de sus arcadas laterales.

Entre los ríos de la región destaca el Cuíchatl, que se desliza al sur de Cuetzalan y sale por el noreste del municipio. A su vera, muy cerca del vecino pueblo de Tzicuilan, se hallan sucesivamente las pozas de Cuíchatl, la cascada de Las Brisas, las pozas de Atepatáhuatl y, más lejos, las de Las Hamacas. Una cascada aún más lejana es La Encantada, oculta entre arrecifes que deben cruzarse a nado para poder admirarla.

Un atractivo diferente de Cuetzalan son las cavernas. Se calcula que tiene 32 mil metros de ellas, pero sólo dos son accesibles para el común de la gente: Chivostoc y Atepolihui, esta última con varios salones de estalactitas y estalagmitas. Para conocer cuevas y cascadas es posible contratar a muchachos-guías en la delegación de turismo de Cuetzalan.

Si la ciudad se visita en domingo es imperioso acudir al tianguis. Ese día los indígenas llegan por brechas y veredas, poniendo al pueblo en efervescencia. Descargan de sus espaldas los pesados fardos de sus productos, como el aromático café, la pimienta, los cereales y los cítricos, amén de los bordados y los tejidos de telar de cintura. Los tamales pulacles, rellenos de distintas verduras, envueltos en hoja santa o en hoja de aguacate, son manjares que ahí se venden, mientras que en los restaurantes de la población hay platillos más elaborados, como el caldo nahuatlaca, los hongos azules y el mole serrano.

Del 15 al 25 de julio se verifica en Cuetzalan la Feria del Café, un acontecimiento que tiene lugar desde 1949 y en el cual se corona una reina, se baila y se hacen animados concursos. Sin embargo, la fiesta principal se realiza en la primera semana de octubre, cuando la población rinde homenaje a su patrono, san Francisco de Asís. A este acto religioso se le ha dado, empero, un fuerte cariz autóctono desde 1963, cuando se instituyó la Feria del Huipil, cuyos momentos culminantes se producen con la coronación de una reina y la ejecución de diversas danzas.

Esta feria toma como motivo el huipil, una blanca prenda prehispánica de algodón delicadamente tejido, con la cual las mujeres cuetzaltecas cubren su espalda y sus hombros, lo mismo que su cabeza tocada por el maxtáhuatl: un gran turbante de cordones de lana que da al rostro femenino un aire de distinción. El atuendo lleva una falda de enredo de manta o de lana, una faja roja y una blusa blanca bordada. Así viste la reina del huipil, elegida en un certamen: debe ser joven, célibe, indígena y debe, asimismo, hablar bien el náhuatl.

Las principales danzas que se ejecutan en la feria son las de los Quetzales, Voladores, Santiagos y Negritos. Las dos primeras son de la época prehispánica y tienen un motivo religioso. La de los Quetzales rinde culto a Quetzalcóatl, el dios del viento; en ella, los danzantes caminan en dirección a los cuatro puntos cardinales, marcando el ritmo con una sonaja. Sus trajes son de lo más vistoso por el gran penacho circular que les cubre la cabeza, imitando el plumaje multicolor del pájaro quetzal. En la danza de los Voladores también se rinde pleitesía a Quetzalcóatl, con cuatro danzantes que representan los cuatro puntos cardinales y un quinto, el caporal, que significa el centro del universo. Después de bailar alrededor de un poste de 40 metros de altura todos suben a su cima, donde el caporal toca, baila y ora a los cuatro vientos. Enseguida, los cuatro danzantes colocados en un bastidor se dejan caer como aves, atados a una soga por la cintura, descendiendo en espiral hasta dar 13 vueltas sobre sí mismos. Son cuatro hombres-pájaro que dan en total 52 vueltas, simbolizando los años que dura el ciclo del calendario azteca (4 x 13 = 52).

Cuando acaba la Feria, Cuetzalan recobra su calma habitual y su aspecto de afable villa serrana, con sus casas de tejas rojas, sus aceras escalonadas y sus empinadas callejuelas forradas de piedra. También entonces es tiempo de disfrutarla.

134

Yohualichan

Tiempo de recorrido: 30 minutos
Horario: miércoles a domingo, de 10:00
a 17:00

Este antiguo centro ceremonial de la cultura totonaca se localiza al noreste de Cuetzalan, a 190 kilómetros de la capital del estado. Se cree que fue fundado a inicios del periodo Clásico (0 a 900 d.C.) y que ante la invasión de grupos belicosos hablantes de lengua náhuatl, comenzó a ser abandonado desde la mitad del Posclásico (900 a 1519 d.C.).

Yohualichan significa "lugar de la noche". Sus ruinas constan de una plaza rectangular, alrededor de la cual hay cinco montículos o pirámides con distinto número de basamentos y vestigios de templos en sus cimas. Aunque no todos los montículos se han excavado, se aprecia con claridad una unidad de estilo, primordialmente dada por los nichos que horadan los

En ésta y las siguientes páginas, la pirámide principal de Yohualichan. Página opuesta: en días de fiesta o de trabajo se suele cantar a la mujer cuetzalteca: *mejon mopaxa xochitl quipal motachiuj huipil tictalillia* (tu faja está llena de flores/ y llevas tu huipil tejido).

basamentos piramidales. En el sitio hay también un juego de pelota, cuya existencia se explica por el hecho de que, para todos los antiguos pueblos mesoamericanos, era este juego uno de sus principales ritos, ya que al golpear la pelota los participantes intentaban reproducir el viaje de los astros por el cielo.

Estas ruinas recuerdan mucho a la ciudad prehispánica de El Tajín, Veracruz, que se halla a sólo 60 kilómetros, en línea recta. Y es que los nichos de los basamentos y las grecas que decoran el talud de la pirámide mayor de Yohualichan, también existen en esa ciudad sagrada. Puesto que ambos sitios pertenecieron a la cultura totonaca, es de suponerse que sus relaciones fueran estrechas, a través de rutas prehispánicas de las que algunos rastros quedan. En este sentido, Yohualichan es interesante porque comprueba la antiquísima presencia de grupos de la costa en la región de la sierra nororiental de Puebla.

Tlatlauqui

En el entronque Zacapoaxtla-Teziu-tlán se debe tomar la carretera hacia esta última ciudad para llegar antes a la de Tlatlauqui, ubicada a 155 kilómetros de la capital del estado.

Con la sencillez de su gente, con su aseado zocalito, sus tejados enmohecidos por la humedad del ambiente y sus calles inclinadas, Tlatlauqui recibe alborozada al visitante. Sus entornos le deparan a éste agradables sorpresas, como el salto que forma el río Huaxtla al pie del Tlatlauquitepec, eminencia caliza ubicada frente a la villa, desde cuya cumbre puede otearse el azul de las aguas del Golfo, si el día está despejado. Cerca están también los saltos de Xiucayucan, Puxtla y Mixpolihui, donde el ruido del agua y el trinar de los pájaros produce un encanto que induce a disfrutar de esas soledades con toda calma.

No sin fundamento se dice que Tlatlauqui es el jardín de la sierra nororiente: densos bosques y flores-tas cubren en efecto sus suelos. Abunda el cedro, el liquidámbar y el álamo, y la elegante orquídea brota en diversas variedades. Se dan muchos productos agrícolas, como la pera, la uva, la nuez, el arroz, la cebada y el frijol.

Tlatlauqui —o Tlatlauhquitepec, como aparece en viejos documentos— era en el siglo X un señorío nahua-chichimeca, sojuzgado en 1440 por los aztecas. Hacia 1524, éste y otros señoríos serranos fueron sometidos por los españoles; entonces Tlatlauqui fue dado en encomienda a Jacinto Portillo, "fray Cintos". Para 1531, los franciscanos ya tenían ahí un convento y una iglesita dedicada a Santa María, desde donde evangelizaron a los pueblos vecinos. Sin embargo, a fines de 1567 se fueron los pocos frailes sobrevivientes de las epidemias y llegó el clero secular para encargarse de los curatos del área. En el primer quinquenio de 1540 se escribió en el convento de Tlatlauqui una parte de la primera gramática náhuatl. El autor del *Arte para aprender la lengua mexicana* fue fray Andrés de Olmos, quien la concluyó en la misma sierra norte de Puebla, hacia 1547, cuando era guardián del convento de Hueytlalpan.

La Soledad-Mazatepec

Dos kilómetros después de Tlatlauqui hay una desviación de 28 kilómetros a Mazatepec. Cinco kilómetros antes de llegar a este poblado se abre un corto camino que lleva al dique y a la presa de La Soledad, también lla-

PAGINA ANTERIOR. Arriba, la parroquia y los portales de Tlatlauqui; abajo, una cesta con frutos de la región. En esta página, una vista de los parajes del Apulco, en el camino a Mazatepec. PAGINAS SIGUIENTES. Por largos ratos, la quietud se instala plenamente en la presa de La Soledad.

mada presa de Apulco, por ser éste el río que la nutre.

En recompensa a lo empinado y tortuoso del camino (pues se baja de 1 930 metros sobre el nivel del mar hasta poco más de 700) el lugar ofrece, con la sola presa, una vista deslumbrante. Ahí, abajo, después de descender por abismales cañadas de espesos bosques y atravesar por jirones de nubes, las aguas del impetuoso Apulco se tornan mansas, propicias para que alguien las surque, gracias a que el alquiler de algunas lanchas posibilita el remo y la pesca. Un calorcito húmedo y sabroso, un cinturón de verde naturaleza y un aire purísimo animan a pasar un día de campo y aun a quedarse en una tienda de campaña.

De víveres puede uno surtirse en Mazatepec y aprovechar la ocasión para conocerlo. A fines del siglo pasado, cuando el gobierno de Porfirio Díaz repobló diversos sitios con labriegos europeos, se formó en Mazatepec la colonia Carlos Pacheco con italianos de Calabria. En las tierras concedidas estos inmigrantes cultivaron caña de azúcar, tabaco y hule, productos muy comerciales con los que superaron su secular pobreza.

Chignautla

Cuenta una leyenda que las cumbres de Chignautla no son sino tres vírgenes yacentes, que vivieron los momentos del enfrentamiento entre mexicas y totonacas. Esas doncellas mexicas, hijas de Tepatzin, eran la dulce Ixcaxóchitl, la altiva Quilaztli y la bravía Yaocíhuatl. En el momento en que sus amados partieron a la guerra les juraron esperarlos, sobre la línea divisoria de aquellos dos pueblos.

Arriba, la iglesita de San Mateo, en Chignautla. Abajo, un aspecto del centro recreativo Nueve Manantiales, en la entrada de esta misma villa.

Ni aun cuando su padre les comunicó la muerte de sus guerreros pudo persuadirlas de volver al *xacalli*, donde el fuego se había apagado y el *malácatl* se había detenido a causa de su ausencia.

Fieles a su promesa, las jóvenes permanecieron en su sitio formando túmulos donde durmieron el sueño sin fin. Mixtli, la diosa de la niebla, llegó entonces a las montañas y con la cauda sutil de sus ropajes formó el sudario de las tres doncellas. Mixtli ablandó también la dura superficie de la sierra, haciendo emanar de ella el llanto amoroso de las infortunadas, condensado en nueve lágrimas.

Según esta hermosa leyenda, así brotaron los veneros de Chignautla, pintoresco pueblecito ubicado a 173 kilómetros de la capital del estado, a cuya entrada se encuentra el centro recreativo Nueve Manantiales, donde se puede practicar el remo y la natación. Hay vestidores, sanitarios y estacionamiento, pero ningún restaurante ni fuente de sodas. Por ello, para pasar felizmente la hora de la comida en este sereno remanso, es indispensable llegar con viandas.

Teziutlán

También llamada la Perla Serrana, Teziutlán es la ciudad más importante del nororiente de Puebla. Se encuentra a 177 kilómetros de la Angelópolis y su clima es húmedo, entre templado y frío, según las estaciones del año. Ocupa una cuenca de la vertiente marítima de la Sierra Madre Oriental, bañada por los ríos El Calvario, Xóloatl y Xoloco.

Teziutlán significa en náhuatl "cerca del granizo", aludiendo quizás a los fragmentos de cristal de roca que antaño había en las colinas de Chignautla, frente a las cuales se erige la ciudad. Lo que sería Teziutlán fue gobernado desde 1538 por el corregidor de Tlatlauhquitepec, hasta que se nombró un corregidor propio, tras haberse fundado la villa en un paraje denominado Teziuhyotepetzintlan, el 15 de marzo de 1552. La feracidad de las tierras de la región y su proximidad con la costa del Golfo fueron fundamen-

tales para el ulterior desarrollo de Teziutlán. Su prosperidad se fincó en la explotación de maderas finas, en el cultivo de valiosos productos (tabaco, caña de azúcar, café, vainilla, cereales, árboles frutales y raíz de zacatón), en la extracción de minerales, en una vasta ganadería trashumante y en un comercio muy activo entre la sierra y la costa, hasta Xalapa y Veracruz.

Teziutlán es hoy en día una ciudad tradicional y moderna. En sus calles inclinadas lo mismo hay edificios nuevos de varios pisos, que viejas casonas de simétrica fachada y labrada herrería. Si en torno al zócalo domina la arquitectura tradicional, en las orillas se enseñorean los fraccionamientos residenciales, en aras de los cuales han sucumbido algunas de las bellas huertas que circundaban la urbe. Un lugar que no ha perdido su encanto es el barrio del Carmen, situado en una pequeña colina, cuyo punto de mayor atractivo es sin duda la iglesia de la Virgen del Carmen, que se distingue por su doble escali-

Frente al trajín que domina en las calles del centro de Teziutlán, llenas de actividad, contrasta la calma del barrio del Carmen, donde se halla el santuario de la Virgen del mismo nombre.

nata y su elegante portada. Frente al zócalo sigue la antigua parroquia, hoy catedral, con su mezcla de estilos románico, barroco y neoclásico.

Una importante feria regional, agrícola, ganadera y comercial se celebra cada año en Teziutlán. Como en toda fiesta, hay diversos eventos y espectáculos: palenque, charreada, corridas de toros, baile y la coronación de una reina. Desde la capital de la República acuden renombrados artistas y toreros a dar más brillo a esta fiesta que se realiza en la primera quincena de agosto.

Teziutlán tiene también buenos hoteles y mejores restaurantes. Las especialidades culinarias confirman que la ciudad se halla en una región privilegiada con fauna de río y a un salto del mar: muchos son los platillos elaborados con mariscos (camarones, ostiones y sobre todo acamayas) o con pescado (robalo, bobo, trucha y bagre) que se cocinan siempre frescos para dejar al visitante chupándose los dedos.

143

LA SIERRA NORTE, POR EL PONIENTE

1. Puebla
2. Chignahuapan
3. Zacatlán
4. Piedras Encimadas
5. Centro Campestre Las Truchas
6. Huauchinango
7. Necaxa
8. Tenango de las Flores

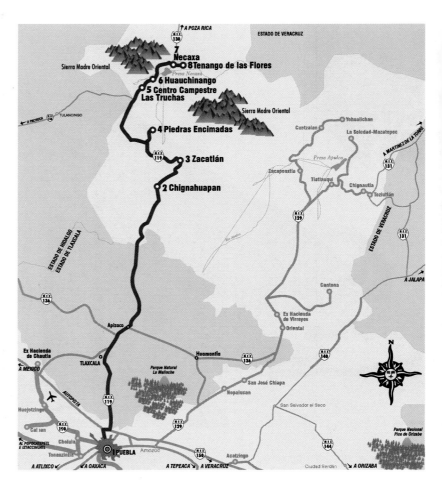

El segundo recorrido por la sierra norte del estado —último de este libro— comprende las ciudades de Chignahuapan, Zacatlán y Huauchinango, el pueblecito de Tenango de las Flores y tres singulares escenarios que se recomienda ampliamente visitar: el paraje de Piedras Encimadas, el centro campestre Las Truchas y la grandiosa presa de Necaxa.

Son siete puntos que, como todos los de esa sierra, se hallan frecuentemente cubiertos de niebla. Se sitúan en el marco de una naturaleza exuberante, que ofrece la visión de un denso manto de verdes infinitos, salpicado de coloridas florestas y de serpenteados cauces acuíferos. En su carrera hacia el Golfo, atraviesan los quiebres de la serranía dando saltos que en ciertos puntos resultan admirables.

Chignahuapan, con sus cálidos manantiales, en los que unos buscan la cura para sus dolencias y otros la simple diversión; Zacatlán, con su elegante templo franciscano y su laudable tradición relojera, y Huauchinango, con sus alrededores de cuento, constituyen tres gemas de la sierra norponiente. Bueno es conocerlas en un día cualquiera, pero es todavía mejor llegar a ellas en un día de fiesta, sobre todo cuando se realizan las grandes ferias anuales de la región: una de la manzana y otra de la flor.

Chignahuapan

A esta población, situada a 119 kilómetros de la ciudad de Puebla, se llega atravesando el estado de Tlaxcala, del cual se tocan sucesivamente Santa Ana Chiautempan, Apizaco y Tlaxco. Chignahuapan se halla en la boca de la Sierra Madre Oriental, donde comienzan las profundas y espectaculares barrancas del norte del estado. A fines de 1519 comenzó la hegemonía española sobre los pueblos de la zona, de ascendencia nahua, totonaca y otomí. Junto con Zacatlán, Chignahuapan fue encomendado al conquistador Antonio de Carvajal, cuyos descendientes gozaron del privilegio por casi dos siglos.

Como en toda villa grande de la sierra norte, la arquitectura tradicional de Chignahuapan consiste en casonas de recios muros y techos de madera y teja, con aleros volados para proteger al transeúnte de las insistentes lluvias. En su plaza principal destaca la colorida parroquia y un gracioso quiosco con el sello constructivo de la región.

A cinco kilómetros de Chignahuapan hay un conocido paraje de baños termales, situados al fondo de una verde cañada, donde brota un manantial de aguas sulfurosas, de 50 °C de temperatura media. Ahí mismo está un balneario con vestidores, regaderas, alberca olímpica y chapoteadero al aire libre, además de un hotel con estacionamiento, restaurante y minipiscina de aguas termales en ciertas habitaciones.

De regreso a Chignahuapan pueden adquirirse dos productos típicos:

Bellos e imponentes son los estruendosos saltos de la torrentosa cascada de Quetzalapa, ubicada en los verdes aledaños de Chignahuapan.

144

esferas navideñas y dulces de jamon-
cillo. La producción de las primeras
comenzó hace tres décadas, bajo el
impulso de Rafael Méndez Núñez,
quien montó el primer taller con unos
cuantos artesanos. Hoy, esta industria
emplea cientos de trabajadores, dise-
minados en varios talleres, donde se
hacen esferas, angelitos, campanas y
otras ingeniosas figuras. La elabora-
ción de jamoncillos o dulces de pepi-
ta de calabaza también tiene una fama
bien ganada, pero sólo concierne a un
reducido grupo de personas y a una
negociación: La Esmeralda.

Ocho kilómetros adelante de Chignahuapan está el salto de Quetzalapa,
una de las más grandes caídas de agua
de la región. Se llega por la carretera
a Zacatlán, tomando a la derecha un
camino de terracería que desemboca
en la parte alta de la cascada, desde
donde se puede descender para disfrutar de la umbrosa vegetación que
hay en el fondo de este paraje.

**Estas páginas muestran la
polícroma parroquia de
Chignahuapan y sus pintorescos
balnearios de aguas termales.**

148

Zacatlán

Bajando hacia Zacatlán se entra en una hermosa región cubierta de espesos bosques, de nieblas y lluvias casi constantes, con un clima templado-húmedo. Esta ciudad se ubica a 131 kilómetros de la de Puebla, y a ella se puede llegar también por la carretera que viene de Poza Rica, o por la que parte del Distrito Federal y pasa por Tulancingo.

Nacida a comienzos del siglo VII, Zacatlán fue fundada por totonacas. Así lo confirma el hecho de que la urbe fuese parte, en el siguiente siglo, de un gran señorío totonaca con asiento en Mixquihuacan. Se sabe que a la caída de Tula, en el siglo XII, llegaron a ella los belicosos chichimecas comandados por Xólotl, socavando el poderío de los totonacas.

Aunque en 1520 Rafael López Avila conquistó Zacatlán, el monasterio franciscano comenzó a construirse hasta 1555 y la primera iglesia aún más tarde, entre 1562 y 1567. El actual templo de San Pedro y San Pablo fue edificado o reedificado a finales del siglo XVI, según la *Relación* de Ponce (1586) y la *Monarchia Indiana* de Torquemada (quien fuera guardián del convento en 1601). Por ello fue el último de los templos basilicales franciscanos en territorio poblano. Se trata entonces de un edificio de tres naves, de un estilo que por su gran sobriedad se ha llamado "purista". Aparte de su clásica portada y de sus techos de cerrada viguería, lo que llama en él la atención son las dos danzas de esbeltas columnas que definen las tres naves y sostienen unos arcos de medio punto con diseño de diamante.

La fiesta más importante de Zacatlán es la Feria de la Manzana, que desde 1941 se celebra cada 15 de agosto, día de la Virgen de la Asunción, patrona de los fruticultores. En esa época se venden los productos agrícolas, industriales y artesanales de la región y se corona a una reina. La fruta procesada ocupa un lugar relevante, en forma de sidras, mermeladas, conservas, dulces y vinos (de membrillo, ciruela, dátil, coco, nuez, durazno, mora azul, etcétera), aunque no faltan muchas otras delicias, como el famoso pan de queso.

En las afueras de Zacatlán hay varios sitios de interés, como la barranca de Los Jilgueros: un mirador natural desde el cual se puede contemplar el nacimiento de la cordillera de la Sierra Madre Oriental. Cuatro kilómetros al noroeste se encuentra el pintoresco pueblecito de Xicolapa, célebre por su santuario del Señor de Xicolapa y su producción de excelentes vinos caseros. Al otro lado de la barranca está San Miguel Tenango, un pueblo cuyas mujeres lucen en las fiestas un atuendo que se ha vuelto típico de toda la región: falda de lana negra de enredo, blusa de seda profusamente bordada, ceñidor bordado de lana negra y quexquémitl blanco de encaje.

PAGINA OPUESTA. La singular fachada del templo de Zacatlán y una de las características filas de árboles frutales que marcan el paisaje de la zona. En esta página, el interior del mismo templo, con sus arcos y columnas.

149

Fábrica y Museo de Relojes Monumentales

Calle Nigromante 3
Tiempo de recorrido: 20 minutos
Horario: lunes a viernes; de 9:00 a 13:00
y de 16:00 a 18:00

Esta es una fábrica-museo cuya historia comenzó en 1912, cuando un adolescente llamado Alberto Olvera Hernández, de familia de forjadores de metal, armó su primer reloj con piezas fabricadas por él mismo. Autodidacta en el arte legado a la humanidad por los maestros relojeros del Viejo Mundo, aquel joven se dedicó después a hacer relojes monumentales, el primero de los cuales lo instaló en 1919 en Chignahuapan. En 1921, cuando colocó su cuarto reloj, esta vez en la villa de Libres, decidió poner a sus aparatos la marca Centenario, en razón del primer centenario de la consumación de la Independencia. Desde entonces, estos relojes marcan el ritmo de la vida de los habitantes de cientos de pueblos y ciu-

Carrillón y maquinaria de la Fábrica y Museo de Relojes de Zacatlán.
Enfrente, una pequeña vendedora de manzanas y una muestra de los vinos de frutas de la región.
PAGINAS SIGUIENTES. Gigantesca formación de Piedras Encimadas.

dades de México y Latinoamérica. Se hallan en zócalos y parques, en iglesias y edificios públicos, anunciando el paso del tiempo con sus grandes manecillas y sus armoniosos carrillones. El primer aparato que fabricó don Alberto hoy forma parte del acervo de relojes del Castillo de Chapultepec. Zacatlán tiene por supuesto el suyo propio: un enorme reloj floral de doble carátula, con más de medio siglo de vida.

A fines de 1993 se decidió preservar la tradición relojera de Zacatlán con el montaje de un pequeño pero excepcional museo anexo a la fábrica. Ahí se reconstruye la historia de los instrumentos de medición del tiempo, desde la más remota antigüedad hasta nuestros días. Se puede ver desde el aparato más simple hasta el más complejo, lleno de engranes y piñones, pesas y ganchos. También se muestran los mecanismos que interpretan cualquier himno o melodía, como los de las grandes sonerías de Westminster o Whittington.

Piedras Encimadas

Hacia Huauchinango, a 20 kilómetros de Zacatlán se halla una desviación de terracería de diez kilómetros, rumbo a Camotepec. Muy cerca de ahí se encuentra el valle de Piedras Encimadas, a 164 kilómetros de la Angelópolis.

Con una superficie de cuatro kilómetros cuadrados, circundada por un bosque de pinos, a una altitud de 2 400 metros sobre el nivel del mar, este valle ofrece el espectáculo imponente de un conjunto de gigantescas formaciones rocosas, en muchas de las cuales las posiciones de las grandes rocas parecen inexplicables y sus equilibrios, incomprensibles.

**En esta página, otro aspecto del valle de Piedras Encimadas.
En la página siguiente el centro campestre Las Truchas, pequeño edén para disfrutar con toda la familia.**

¿Quién puso aquella mole de piedra en lo alto de un túmulo y cómo es que no se cae? Preguntas como ésta han dado paso a la leyenda: que fueron seres de otros mundos los que así dispusieron las piedras del valle; que fue un Hércules colosal quien puso las rocas a su capricho, hace ya millones de años; o que las rocas no son sino gigantes cuya maldad fue castigada por un dios prehispánico que los volvió de piedra.

Los estudios mineralógicos han demostrado que el fenómeno de las piedras encimadas está relacionado con la historia de la tierra y no con las leyendas. Hoy se sabe que estas formaciones son del periodo Terciario y que tienen unos 65 millones de años. La actividad volcánica, las reacciones químicas y los agentes atmosféricos como la lluvia, el viento y la humedad son los factores que al paso de un tiempo inmemorial formaron y modelaron el conjunto escultórico de Piedras Encimadas.

Las figuras pétreas que se perfilan son muchas, mas no las mismas, porque parcialmente dependen de la imaginación de cada observador. Ranas, patos y lagartos pueden surgir de repente, lo mismo que un dinosaurio, un elefante o un perro. Al girar la cabeza podemos toparnos con una gran torre, con algo parecido a una pareja de enamorados o con un hombre meditando. Y si el silencio se impone, el viento corre suavemente, el cielo se cubre de nubes y el ambiente de niebla, no es raro que se vean animales míticos y otras figuras fantasmagóricas.

Los fines de semana el paraje es muy concurrido y los lugareños venden antojitos y dulces y alquilan caballos. Muchos visitantes instalan en el verde zacate sus tiendas de campaña, para disponer de tiempo suficiente y explorar bien el valle y conocer las comunidades aledañas: Teopancingo, Las Lajas, Rancho Nuevo y Metlaxixtla.

Centro Campestre Las Truchas

Horario: todos los días, de 10:00 a 18:00

Cuatro kilómetros antes de llegar a Huauchinango está el puente Totolapa, donde se toma a la derecha una desviación de terracería que después de 500 metros desemboca en un lugar de ensueño: el Centro Campestre Las Truchas.

El sitio muestra sobradamente las bellezas naturales de la sierra norte, como lagos, caídas de agua, tupidos bosques y toda una gama de fragantes flores. Para hacer más grata y confortable la estancia de los paseantes, Las Truchas tiene una serie de instalaciones: un restaurante donde se sirven botanas, carnes y antojitos, además de la especialidad de la casa: la trucha arco iris, preparada en distintas formas y recién salida del criadero que ahí existe. También hay una zona de *camping* con servicio de vigi-

lancia las 24 horas del día y jardines con juegos infantiles, cuadriciclos y un pequeño tren para pasear a grandes y chicos. La pesca, el remo, la equitación y la natación son los deportes que pueden practicarse. Todo está dispuesto en fin, en este Olimpo serrano, para que los visitantes pasen un día inolvidable.

Huauchinango

Emplazada en medio de una exuberante vegetación, la próspera ciudad de Huauchinango se localiza a 201 kilómetros de la ciudad de Puebla. Como la zona tiene altitudes que varían de cero hasta más de dos mil metros, el clima va del templado al caliente, sin llegar al tórrido por las abundantes lluvias y la neblina que se presentan durante la mayor parte del año.

Antiguamente la jurisdicción de Huauchinango se extendía desde la

ladera oriental de la Sierra Madre hasta la Barra de Cazones y la laguna de Tamiahua, en la costa del Golfo. Al momento del contacto con los españoles casi toda el área pagaba tributo a la Triple Alianza, y en la región montañosa estaban los señoríos de Cuauhchinanco, Xicotépec y Pahuatlán, con gobernantes texcocanos cuyos súbditos hablaban el náhuatl, el otomí y el totonaco. Hacia 1521 una expedición enviada por Hernán Cortés sometió a esos señoríos. Huauchinango fue entonces encomendado a Juan de Jaso, pero en la misma década fue reasignado al conquistador Alonso de Villanueva. En 1543 la labor de los agustinos suscitó la fundación de un monasterio, del que no queda, lamentablemente, ninguna traza.

La situación geográfica de Huauchinango y sus riquezas naturales han sido determinantes para el desarrollo de una importante economía. La industria más poderosa es la eléctri-

155

ca, que ha sabido aprovechar las numerosas corrientes y saltos de agua. La maderera es otra actividad remarcable, puesto que la región es pródiga en encinos, álamos, cedro, abeto, oyamel y nogal, por citar algunas especies. Entre su amplia variedad de frutas se cuentan los zapotes, el durazno, la papaya, el plátano y la mora. También se cultivan las plantas de olor, las verduras y hortalizas, la cebada, lenteja, cacahuate, café, etcétera.

Una parte sustancial de la economía regional se basa en la floricultura, con la venta de aromáticas cargas de

En Huauchinango, la arquitectura tradicional se observa todavía en tejados y portales. Enfrente, la grandiosa presa de Necaxa y las instalaciones de su hidroeléctrica, pionera en la generación de energía en México.

azaleas, jazmines, magnolias, tulipanes, begonias, dalias y camelias, entre otras flores. En torno a esta actividad se realiza desde 1944 la Feria de la Flor, fiesta pagana y a la vez religiosa que tiene lugar entre el segundo y tercer viernes de Cuaresma, en la que se premian las flores más raras y bellas.

Los festejos incluyen la venta de otros productos agrícolas, industriales y artesanales, así como peleas de gallos, jaripeos y presentación de danzas de la región. Ahí se puede admirar el elaborado traje de las mujeres de San Pablito Pahuatlán, compuesto por falda y quexquémitl bordados, de lana roja y blanca, y blusa blanca de algodón bordada con diminutas chaquiras o con hilos de vivos colores. La Feria es también una oportunidad para deleitarse con los molotes y otros antojitos de la cocina regional, como los tamales envueltos en hojas de papatla, o los tamales llenones, semejantes a un albondigón, que se arropan en grandes hojas de totomoxtle.

Necaxa

A finales del siglo pasado un doctor francés de apellido Vaquier se percató de las potencialidades energéticas de ciertas corrientes de agua de la región de Huauchinango que se precipitaban por los acantilados. Solicitó entonces al gobierno mexicano la concesión para aprovechar como fuerza motriz las aguas del río Necaxa y formó una empresa para la generación de electricidad.

Sin embargo, como los fondos que se requerían para emprender las obras eran cuantiosos, en 1902 esa empresa tuvo que vender sus derechos y propiedades a la Mexican Light and Power Company —una sociedad anónima anglocanadiense—, constructora del que fuera, por varias décadas, el complejo hidroeléctrico más importante del país, basado en la explotación de los ríos Necaxa, Tenango y sus afluentes, incluyendo sus grandes caídas de agua.

Una parte de la planta eléctrica comenzó a operar a fines de 1905, cuando el fluido llegó a la ciudad de México y al centro minero de El Oro, situados a 159 y 257 kilómetros de distancia, respectivamente. Pasando por dentro y por fuera de los cerros, 30 kilómetros de túneles y muchos más de canales y tuberías quedaron listos muy pronto, para derivar las aguas hacia cinco depósitos, cuyas capacidades de almacenaje fluctuaban entre los 15.5 y 43.5 millones de metros cúbicos.

Visitar la presa de Necaxa es toda una experiencia. Comenzamos por disfrutar el fabuloso panorama que se sucede a lo largo de los nueve kilómetros que la separan de Huauchinango. Después tenemos la vista de la propia presa, rodeada de un frondoso bosque y luego un paseo en lancha. A un kilómetro está Nuevo Necaxa, una población formada en los albores del siglo por seis mil operarios que la Mexican Light contrató para las obras y el funcionamiento de la hidroeléctrica.

Tenango de las Flores

A sólo dos kilómetros de Necaxa se halla Tenango de las Flores. El calificativo está perfectamente agregado al nombre, ya que esta pequeña población, situada al borde de la hermosa presa de Tenango, se caracteriza por su profusión de flores.

Perteneciente al municipio de Huauchinango, mucha de la fama de la Feria de la Flor que se celebra en esta última ciudad se debe precisamente a los productos que cultivan con sabiduría los floricultores de Tenango. Las azaleas, gardenias, hortensias, tulias, petunias y cedrelas son las flores que más abundan. También se dan las violetas y hay al menos dos viveros que se dedican exclusivamente a su producción. Sorprende asimismo la gran variedad de cactus miniatura que se venden en arregladas esferas de cristal.

Tenango realiza cada semana santa la Expo-Flor, que reúne a más de 100 expositores, no sólo locales sino también de otras conocidas ciudades floricultoras de Puebla y de otros estados, como Tlaxcalancingo, Xochimilco y Fortín de las Flores. La comunidad se engalana en otras dos fechas: el 29 de septiembre, cuando festeja a San Miguel, y el 12 de diciembre, cuando celebra a la Virgen de Guadalupe, como en todos los rincones del país.

Además de sus coloridos viveros y de la hospitalidad de sus moradores, Tenango tiene el atractivo de su pintoresca presa. Enfrente, las petunias criadas en los viveros de la región.

Bibliografía general

Benavente, fray Toribio de (Motolinia), *Historia de los indios de la Nueva España*, México, Porrúa, 1969.
Clavijero, Francisco Javier, *Historia antigua de México*, México, Porrúa, 1987.
Gerjard, Peter, *Geografía histórica de la Nueva España, 1519-1821*, México, UNAM, 1986.
Kubler, George, *Arquitectura mexicana del siglo XVI*, México, FCE, 1983.
Maza, Francisco de la, *El alabastro en el arte colonial de México*, México, INAH, 1966.
Palacios, Enrique Juan, *Puebla, su territorio y sus habitantes*, Puebla, JMMCMMP, 1982.
Sartor, Mario, *Arquitectura y urbanismo en Nueva España, Siglo XVI*, México, Grupo Azabache, 1992.
Toussaint, Manuel, *Arte colonial en México*, México, UNAM, 1983.
_____, *Paseos coloniales*, México, Porrúa, 1983.

Coordinación
Bernardo García Díaz
Instituto de Investigaciones Histórico-Sociales
de la Universidad Veracruzana

Investigación y textos
Leticia Gamboa Ojeda
Instituto de Ciencias Sociales y Humanidades
de la Universidad Autónoma de Puebla

Fotografía
Guillermo Aldana
Michael Zabé: 25, 26, 27, 28, 29, 32-33, 34 (derecha), 36, 37, 38, 39, 42, 43, 44, 45, 52, 68, 69, 70-71, 85, 91, 122
Everardo Rivera y Angela Arciniaga: 2-3, 47. 66-67, 77 (arriba), 86, 89 (arriba), 98, 117, 119, 132, 134 (abajo), 143 (abajo).
Juan José Morín: 12-13, 44, 50, 94, 95, 96, 129, 130 (abajo), 133.
Rafael Doniz: 30, 31, 40, 41, 59, 60 (derecha), 74 (abajo), 75, 92-93, 148 (arriba).
Javier Hinojosa: 34 (izquierda), 35.
Enrique Franco Torrijos: 131 (abajo), 159.
Bernardo García Díaz: 151.

Diseño
Octavio de la Torre Ruiz
Francisco Estebanez

Diagramación
Ofelia Mercado Arzate

Corrección de estilo
Benjamín Rocha

Mapas y planos
Jorge Aguilar

Impreso en
Gráficas Marte, S.A.
Vista Alegre 12-28019 Madrid
Tel.: 914 281 040, Fax: 914 716 432
e-mail: info@grupomarte.es

El estado de Puebla
se terminó de imprimir en septiembre de 2002.
La edición de tres mil ejemplares estuvo al cuidado
de Ediciones Nueva Guía, S. A. de C. V.
e-mail: tierranuestra@prodigy.net.mx
Suscripciones:
nuevaguia@yahoo.com
Tel. 55 50 60 08. Fax 55 50 38 06.

Primera edición, 1994
Primera reimpresión, 2001
Segunda reimpresión, 2002
ISBN 968 5437 00 9
Depósito Legal:
M-37728-2002
Impreso en España